Vocabulaire bilingue de la production télévision

Maquette de la couverture : Jacques Léveillé

ISBN 2-7609-9055-9

© Copyright Ottawa 1982 par Les Éditions Leméac Inc.
Dépôt légal — Bibliothèque nationale du Québec
4ᵉ trimestre 1982

Imprimé au Canada

Vocabulaire bilingue de la production télévision

Robert Dubuc

anglais·français
français·anglais

Du même auteur

chez le même éditeur

Objectif 200 : 200 fautes de langage à corriger, 1971

Vocabulaire de gestion, 1974

Vocabulaire bilingue du théâtre, 1979

chez d'autres éditeurs

En collaboration : *Dictionnaire de l'informatique* (épuisé), Paris, Dunod, 1971.

Manuel pratique de terminologie, Montréal, Linguatech, 1978.

PRÉFACE

Radio-Canada se donne enfin un vocabulaire bilingue de la télévision. Il a fallu, pour réussir ce travail, l'intelligence et l'opiniâtreté d'un linguiste d'une grande compétence, Robert Dubuc. J'espère que nous serons nombreux à lui dire merci.

Quel chemin parcouru depuis 1952! Radio-Canada fondait alors, avant la France encore mal déprise de la guerre, une télévision d'expression française. Or le vocabulaire de travail dont nous disposions était en grande partie anglais. Plusieurs des réalisateurs les plus compétents sortaient de l'Office national du film qui était surtout le National Film Board et logeait à Ottawa. Des gens de la production avaient couru aux États-Unis pour suivre pendant quelques mois des cours sur la télévision. Les techniciens avaient appris l'électronique dans des manuels anglais, il n'en existait pas d'autres. L'ingénierie n'était pas un bastion de la francité, le siège social non plus.

On avait cherché, on avait songé («Je m'en souviens très bien», écrirait Réjean Ducharme) à traduire en français les termes anglais en usage. On y avait plus ou moins renoncé, ayant plus ou moins conclu que l'anglais était plus court, plus précis, plus efficace, plus viril, que c'était une langue de com-

mandement. Nous n'avions qu'à ouvrir les yeux sur le monde pour le constater. Je m'en souviens très bien.

Il y avait quelque chose de contradictoire, presque de frauduleux, à nous glorifier des émissions françaises que nous produisions à travers une terminologie anglaise ou bâtarde. Je me rappelle un téléthéâtre où un préposé au téléciné, un francophone, refusait de faire démarrer le film si j'en donnais l'ordre en français. On devait dire start film *pour que ça parte. Nous étions très capables (je m'en souviens très bien) de téléviser Musset, Marivaux ou Mauriac avec des* close up, *des* take two, *des* medium shot, *des* out of focus, *des* dissolve, *des* cut, *des* face, *des* run-through *et des* dress rehearsal.

Dès le début pourtant, certains avaient essayé d'utiliser des termes français. Sous l'influence et avec l'aide du théâtre tout proche, la scénographie avait, si ma mémoire ne me trompe pas, improvisé une terminologie passablement française. Jean Boisvert qui venait du film, mais pas de l'O.N.F., m'avait révélé un vocabulaire français du cinéma. Il fallait du temps pour prendre conscience non seulement de la situation, mais surtout du fait que la situation était modifiable.

L'emménagement de Radio-Canada dans l'est de Montréal a constitué peut-être un point tournant. On a inscrit sur les outils, les appareils, les lieux tout neufs des mots français. Pour mettre au point ces inscriptions, il a fallu un important travail de recherche. Pour inscrire dans leur langage quotidien ces mots français, il a fallu, pour les travailleurs de la Maison, rompre avec des habitudes et des servitudes.

L'accord semble fait aujourd'hui entre nous: nous souhaitons parler français. Si cela est vrai, il appartient à chacun de nous de répandre et de défendre cette terminologie que nous propose Robert Dubuc.

Mais il ne suffit pas que Radio-Canada se francise. La Société Radio-Canada, du moins à Montréal, baigne dans un milieu dont elle dépend et qu'elle contribue à nourrir. Nous nous sauverons ou nous nous perdrons ensemble, car dans cette recherche terminologique, il y a plus que des mots.

Je m'en souviens très bien.

Jean-Paul Fugère

AVANT-PROPOS

L'effort de francisation, entrepris il y a plus de vingt ans à Radio-Canada, a permis d'étudier graduellement et au fur et à mesure des besoins, certaines aires du vocabulaire de la production télévision : métiers, angles de prises de vues, publicité, programmation. Toutefois ces travaux ponctuels, après vingt ans, n'avaient pas encore été intégrés à un vocabulaire bilingue global de ce domaine. Pour remédier à cette lacune, le Service de linguistique a mis au point le premier vocabulaire bilingue de la production télévision. Ce vocabulaire, axé cela va sans dire sur les usages nord-américains, cherchera à concilier — ce qui est peut-être l'inconciliable — les découpages différents de la réalité en Europe et en Amérique du Nord de manière à éviter le double écueil d'un vocabulaire d'une utilisation restreinte parce que trop exclusivement régional ou d'une terminologie trop artificielle parce que non suffisamment enracinée en situation réelle.

Que cette entreprise ait pu prendre vingt ans à se matérialiser, il n'y a là rien de vraiment étonnant en raison des difficultés inhérentes à ce genre de travail : diversité des usages selon les pays, disparités des techniques mises en œuvre, faiblesse de la documentation écrite en langue française.

Très tôt cependant, nous avons eu du côté de la terminologie anglaise, d'excellents ouvrages dont la teneur terminologique était particulièrement importante. Pour ne citer que les deux principaux, mentionnons de Harry Wayne McMahan, *Television Production,* publié à New York chez Hastings House, en 1957, et de Rudy Bretz, *Techniques of Television Production,* paru en 1962, chez McGraw-Hill. Ces deux ouvrages comprennent au moins 80% du vocabulaire utilisé dans le domaine et constituent un corpus très représentatif de la terminologie spécialisée de ce secteur.

Cette terminologie est non seulement spécialisée : elle est aussi spéciale. C'est une microlangue avec son lexique et ses niveaux de langage propres. La terminologie anglaise — nord-américaine — doit comprendre environ 2500 unités terminologiques. Elle se caractérise d'abord par de nombreux emprunts aux disciplines mères : théâtre et cinéma.

Au théâtre, la télévision a emprunté, par exemple, la plupart de ses termes de décoration : *set, practical set, flat, tormentors, wing flat* ; la nomenclature des rôles : *character actor, lead, juvenile lead.* Au cinéma, elle est allée chercher les appellations des plans de prises de vues : *close-up, medium shot, knee shot, establishing shot,* etc., et une bonne partie du vocabulaire des commandements de prises de vues : *roll it, change, frame,* etc. Si l'on fait un examen un peu plus attentif des origines de ce vocabulaire, il se ventile à peu près ainsi : emprunts au cinéma 30%, emprunts au théâtre 11%, emprunts à la publicité 7%, emprunts à divers domaines : journalisme, statistique, etc., 11%. Les termes nés en télévision comptent pour 41% avec, bien sûr, des emprunts à la radio, en particulier en ce qui concerne l'aspect sonore de l'émission télévisuelle.

Les termes créés en télévision désignent d'abord des inventions nouvelles : *videotape, videotape recording, video-*

cassette, magnetic stripe ; et aussi des adaptations à l'expression télévisuelle de techniques du théâtre ou du cinéma, *dry run, run through, camera rehearsal.*

Une autre caractéristique de ce vocabulaire, c'est sa richesse en expressions argotiques pour désigner des métiers : *pancake turner* (turnable operator), *gaffer* (lighting director), *juicer* (electrician), *gofer* (errand boy). L'argot apparaît aussi pour désigner certains appareils : *cans* (head set), *crawl* (title drum), *cookie* (gobo). La proportion des termes argotiques dans l'ensemble du vocabulaire de la production reste très difficile à évaluer à cause de sa grande volatilité. Les mots naissent ainsi à profusion, mais souvent ces créations sont éphémères ou restent d'un usage très circonscrit.

Par contre l'usage des abréviations en langue parlée offre dans ce secteur des caractéristiques particulières. Peut-être est-ce à cause de l'usage abondant des formes abrégées utilisées par commodité dans les découpages, ou par besoin de faire court à tout prix, toujours est-il que beaucoup d'expressions sont couramment désignées par leurs abréviations dans les studios ; mentionnons à titre d'exemples : T.D. pour *Technical Director,* T.P. pour *test pattern,* V.O. pour *Video Operator,* A.D. pour *Art Director.*

Dans diverses techniques, le vocabulaire anglais utilisé au Canada est souvent déchiré entre deux pôles d'attraction divergents : les États-Unis et la Grande-Bretagne. En télévision, la puissance de l'industrie américaine a vite fait basculer la balance en sa faveur, en dépit du fait que la B.B.C. a, pour ainsi dire, tenu Radio-Canada sur les fonts baptismaux. Le seul vestige de cette parenté spirituelle reste peut-être l'emploi du mot *producer,* conformément à l'usage britannique, pour désigner le maître d'œuvre d'une émission, contrairement à l'usage américain qui emploie le mot *director* en ce sens. On peut donc dire sans exagération que le vocabulaire de la télévision canadienne anglaise est essentiellement tributaire de la terminologie américaine.

Voilà donc, brossé à grands traits, le portrait du vocabulaire anglais de la production télévision. Risquons maintenant un œil du côté du vocabulaire français correspondant.

La terminologie française de la télévision au Canada s'est mise au point assez laborieusement. Il y a d'abord eu invasion massive de calques et d'emprunts rapportés par techniciens et réalisateurs formés à New York : continuité (au sens de scénario), tape (bande), taping (démarquage), VTR (magnétoscopie). Quant à la langue des commandements en studio, les emprunts intégraux y fleurissent : *cut to, switch, take one, take two.* C'est donc à l'enseigne du mélange des langues que la production télévision a fait ses premiers balbutiements terminologiques.

Mais les usagers avaient mauvaise conscience à l'égard de ce qu'ils appelaient l'abâtardissement de leur langue technique. Aussi, lorsqu'en 1960 se fonde le Comité de linguistique, les demandes affluent pour «franciser» la terminologie de la langue des studios.

Pour répondre à ces demandes, les terminologues sont allés puiser dans le vocabulaire français du cinéma, en particulier chez Jean Giraud, dont l'ouvrage constitue le premier travail terminologique consacré au cinéma. Ainsi la télévision a pu intégrer la nomenclature française des angles de prises de vues : très gros plan, gros plan, premier plan, plan moyen, plan américain, plan d'ensemble, de même que celle des mouvements de caméra : panoramique vertical, horizontal, travelling avant, travelling arrière, plongée, contre-plongée, contre-champ, etc. Au cinéma, nous avons aussi emprunté la «ponctuation» du discours en image : fondus, fondu enchaîné, volets et rideaux.

Lorsque la télé américaine a fait des emprunts au théâtre, nous avons fait de même, en particulier pour la décoration et certaines installations comme les cintres, le jeu d'orgues, etc. La radio de son côté nous léguait le vocabulaire de l'audio.

Vers 1965, certaines revues spécialisées ont commencé à paraître en France, ce qui nous a permis, grâce à un travail suivi de dépouillement, de rapprocher le vocabulaire en usage ici de celui utilisé en France. C'est ainsi que la GRILLE a remplacé l'horaire, la STATION le poste, le CRÉNEAU le *time slot,* l'INTERLUDE, l'intermède, etc.

Il restait pourtant des aires de différenciation difficilement conciliables qui tenaient d'une part aux emprunts ou pseudo-emprunts à l'anglais et d'autre part à la disparité des structures.

Au chapitre des emprunts, SPEAKER et SPEAKERINE en usage en France n'ont pas passé ici. ANNONCEUR, implanté dès les premières heures de la radio, a gardé ses positions, même si le féminin lui faisait défaut. Les noms de métiers en -man ont également suscité, à l'exception de caméraman, une réaction de rejet : personne n'a jamais voulu employer perchman, trucman, cableman, travellingman en dépit de leur usage fréquent dans les studios des radiotélévisions francophones.

D'autres écarts sont attribuables à la disparité des structures. L'émission de télévision n'est pas organisée en France comme elle l'est ici. Nous n'avons pas de directeur de la photographie, ni d'ouvriers de plateau, ni de perruquiers. Les fonctions qu'ils remplissent sont assumées par d'autres métiers. Le mot PRODUCTEUR désigne à la télévision française celui qui conçoit et réalise son émission. Cette notion n'existe pas dans nos organigrammes. Les Français ont des «ingénieurs du son»; plus modestes — et pour ne pas déplaire à l'Ordre des ingénieurs — nous avons des techniciens du son.

Si l'on compare maintenant le vocabulaire français de la télévision au vocabulaire américain, on constate d'abord qu'il est moins volumineux. Avec un millier de termes, la télévision d'expression française arrive à traduire ses réalités. La synonymie y est moins riche, l'argot beaucoup moins présent et l'utilisation des abréviations dans la langue parlée à peu près nulle.

Ces différences auront donc des répercussions sur la méthodologie à suivre pour l'établissement d'une terminologie comparée. Pour structurer la recherche et éviter qu'elle ne se perde dans le labyrinthe d'une terminologie encore mal assise, il convenait de trouver des pôles de regroupement de l'information terminologique; en somme, diviser en sous-domaines le domaine général de la production télévision. Il serait ainsi plus facile de cataloguer les notions et d'établir avec à-propos les équivalences ou les correspondances interlangues. Ces sept sous-domaines comprennent:

la *décoration* (éléments de décors, éclairage, conception, maquillage et costumes);

l'*équipement* (matériel technique de production, caméra, microphone, consoles de l'image et du son, télécinéma, magnétoscopie);

l'*installation* (studios, régies, réseaux et chaînes, salles de répétition);

la *mise en scène* (plans, mouvements de caméra, jeu des comédiens, textes, scénario, tournage);

la *gestion* (budget, contrats, droits d'auteur et redevances, engagements);

les *métiers* (appellations professionnelles, titres et fonctions);

la *programmation* (politiques, grilles, genres d'émissions, publicité, indicatifs, information).

Cette structure en place, il s'agit maintenant de faire le recoupement des notions. Cette tâche sera facilitée par le travail d'un Philippe Desjardins, ex-chef de la traduction au Siège social, qui s'est livré pendant près de dix ans au dépouillement systématique des revues de vulgarisation française, à l'affût de la terminologie d'usage. Son travail sera d'un apport inestimable pour dérégionaliser les usages locaux : par exemple détrôner enregistreuse à ruban au profit de magnétophone, remplacer ruban par bande, passer sur les ondes par passer à l'antenne, etc.

Dépouiller n'est cependant qu'une partie du travail. Il faut ensuite se livrer à l'analyse notionnelle du matériel recueilli. L'analyse des notions se révèle particulièrement impérieuse quand il s'agit d'un terme polysémique comme BROADCASTER.

Au sens générique, ce terme désigne tous ceux qui de près ou de loin, à quelque titre que ce soit, sont mêlés à la radiotélévision. Il se rendra alors par GENS DE RADIOTÉLÉVISION, sur le modèle de gens de lettres.

Le mot *broadcaster* peut encore désigner les créateurs qui œuvrent en radiotélévision. Ici nous avons les TÉLÉASTES, mot créé sur le modèle de cinéaste et qui a engendré le générique RADIOTÉLÉASTE.

Le mot s'applique encore à la personne qui, professionnellement, fait des communications de nature journalistique, scientifique ou artistique, à la radio ou à la télévision. Cette notion se rendra par le néologisme COMMUNICATEUR.

Enfin le terme désigne ceux qui exploitent des stations de radio et de télévision. Deux solutions s'offrent en français :

DIFFUSEUR pour désigner la personne physique et RADIOTÉLÉVISION pour désigner l'entreprise ou la personne morale.

Ce mot de RADIOTÉLÉVISION appelle lui aussi une analyse assez serrée du contenu notionnel en raison de sa polysémie.

Le mot désigne d'abord une technique de diffusion d'un message par ondes radioélectriques. Il correspond alors en anglais à *broadcasting*.

Il s'applique aussi à l'ensemble des installations (stations et réseaux) dont disposent un pays ou une région pour diffuser des messages par ondes radio-électriques. Il se rend alors en anglais par *broadcasting system*.

Le mot désigne en outre l'industrie qui permet cette diffusion ; en anglais *broadcasting industry*.

Enfin le mot peut s'appliquer à un organisme qui exploite des stations et des réseaux. Il correspond alors à *broadcaster*.

Comme on le voit, rien n'est aussi simple qu'il peut le paraître de prime abord. Ce qui peut sauver un ouvrage de terminologie comparée de l'erreur, voire de la sottise, c'est l'analyse rigoureuse des notions. C'est à partir de cette analyse qu'il deviendra possible de recouper les notions et d'établir les équivalences qui s'imposent.

C'est aussi cette analyse qui permettra de démêler l'écheveau des synonymes, de circonscrire leur interchangeabilité, soit d'après leur sens, soit d'après leurs aires d'utilisation.

Ainsi *turntable operator* et *pancake turner* sont des synonymes, mais le dernier est de niveau argotique et ne peut s'employer que dans la langue parlée en studio. Les termes ne sont donc pas interchangeables et l'équivalent français

OPÉRATEUR-DISQUES ne peut valoir strictement que pour le premier de ces termes.

Ainsi l'étude du vocabulaire de la production télévision aura comporté trois étapes : dépouillement de la documentation, analyse des notions et recoupement des notions d'après l'identification des traits sémantiques pertinents. Cette méthode garantit à notre avis la justesse des renseignements fournis et la valeur de la correspondance des termes en usage dans les deux langues.

C'est l'objectif que doit atteindre un travail de terminologie qui se veut sérieux.

Nous tenons à remercier M. Jean-Paul Fugère, qui, en plus de rédiger la préface, a consenti à revoir tout ce travail et à nous faire des observations judicieuses. Nos remerciements s'adressent aussi à Roland Martin, caméraman, et à Henri Bergeron, annonceur, qui ont bien voulu également revoir le présent vocabulaire.

Enfin, il faut souligner l'apport à ce travail de Danielle Chagnon. Sans sa patience et sa minutie il ne nous aurait guère été possible de le mener à bonne fin. Je voudrais remercier aussi mes collègues du Service de linguistique, en particulier Pauline Daigneault, dont les conseils et l'assistance m'ont été très utiles.

Robert Dubuc

AVERTISSEMENT

Le présent travail comprend plusieurs index pour en permettre une utilisation plus large. D'abord un index français-anglais permet de trouver l'équivalent anglais pour un terme français donné. Pour avoir la définition du terme ou ses synonymes, on se reportera à la rubrique du terme anglais dans le corps de l'ouvrage.

Un second index, pour les mots anglais cités hors de l'ordre alphabétique, renvoie pour chaque terme à la rubrique alphabétique pertinente où l'on pourra trouver définition, synonymes et équivalents français.

Enfin chaque sous-domaine comporte son propre index de façon à regrouper les termes par aires d'utilisation. Pour ces index, il importe de noter que, si un terme français comporte deux équivalents ou plus, il ne s'agit pas de synonymes, mais de termes de sens distincts. On se reportera donc dans le corps de l'ouvrage aux termes anglais donnés comme équivalents pour avoir la définition. L'équivalent anglais proposé dans l'index est celui qui est apparu comme le plus fréquent. En se reportant à ce terme, dans le corps de l'ouvrage, on trouvera les autres équivalents relevés.

Abréviations utilisées

Pour les sous-domaines, on trouvera après chaque rubrique l'une ou l'autre des abréviations suivantes :

DEC pour décoration
EQU pour équipement
GES pour gestion
INS pour installations
MES pour mise en scène
MET pour métier
PRO pour programmes

Les indications grammaticales suivent les abréviations usuelles :

n.   pour nom
m.   pour masculin
f.   pour féminin
pl.   pour pluriel
v.   pour verbe
trans.   pour transitif
intrans. pour intransitif

Les marques d'usage utilisées sont les suivantes :

FR	pour usage français
CAN	pour usage canadien
GB	pour usage britannique
US	pour usage américain
R.C.	en usage à Radio-Canada
NORM.	marque un usage normalisé par un organisme officiel
M	correspond à un nom de marque commerciale

sp.	marque une restriction de sens (sens spécifique)
gén.	marque un sens qui englobe les sens spécifiques
tech.	marque un usage propre à la langue technique
cin.	marque une acception propre au cinéma
abr.	indique une abréviation
obs.	indique une observation complétant les renseignements donnés dans la définition
fam.	correspond au niveau de la langue parlée dans les studios
jur.	indique une acception proprement juridique
pop.	correspond plutôt à un argot de travail
vx	vieux

abrasions   éraflures
Petites raies apparaissant sur la pellicule d'un film.
                                        EQU

accent light   éclairage d'appoint
                                        lampe d'appoint
Éclairage intensifiant la lumière en un point donné.
                                        DEC
V. aussi *booster light*

acetate   transparent
                                        acétate (n.m.)
Feuille transparente, à support d'acétate de cellulose, utilisée pour faire des schémas et des graphiques pour rétro-
projecteurs.
                                        EQU

action!   action!
Commandement donné aux comédiens sur le plateau
pour marquer le début de la prise de vues.
                                        MES

adapter   adaptateur
Personne qui adapte pour la radio ou la télévision une
œuvre écrite pour un autre média ou une autre technique.
                                        MES   MET

adjust (to) régler
Faire des adaptations mineures pour mettre un appareil ou une machine en état de marche.
EQU

adjustment réglage
Action de faire des adaptations mineures pour mettre un appareil ou une machine en état de marche.
EQU

ad lib (n.) (fam.) improvisation
Discours, texte ou jeu de scène improvisé.
MES

ad lib (to) (fam.) improviser
Action d'inventer sur le champ un discours, une réplique ou un jeu de scène.
MES

ad lib program émission improvisée
émission à déroulement libre
Émission dont seul le cadre général de déroulement est prévu, le détail étant improvisé au fur et à mesure que l'émission progresse.
PRO
V. aussi *unrehearsed show* MES

advertiser annonceur
Personne qui paie pour faire faire de la publicité sur les ondes.
PRO
Obs. On trouve parfois en ce sens au Canada : annoncier.

advertising copywriter rédacteur publicitaire
Personne chargée de rédiger des textes publicitaires passant à l'antenne.
PRO   MET

advertising slot   créneau publicitaire
Temps prévu pour le passage d'un message publicitaire.

PRO

affiliate   station affiliée
affiliated station
Station privée qui, en vertu d'une convention conclue avec un réseau, peut retransmettre en tout ou en partie le programme de ce réseau.

INS

after-show   épilogue (néol.)
Petit divertissement servi au public en studio après une émission de télévision, avant qu'il quitte le studio.

MES   PRO

aircheck   enregistrement-témoin
Enregistrement d'une émission à partir du signal d'antenne.

INS

air monitor
V. *line monitor*

air (to be on)   passer à l'antenne
État d'un spectacle, d'un comédien, d'un participant au moment de la diffusion d'une émission ou de son enregistrement.

MES

air (to)   mettre en ondes (CAN)
                    faire passer à l'antenne
Action d'acheminer une émission vers l'antenne émettrice.

MES

air time   temps d'antenne
time   temps de parole (politique)
     Temps pendant lequel la radio et la télévision diffusent leurs émissions ; désigne aussi une portion de temps qu'on accorde à un parti ou qu'on réserve à des messages publicitaires de nature politique.

PRO

V. aussi *listening period*

all-sky camera   caméra ultra-grand-angulaire
     Caméra qui peut embrasser un angle de 180°.

EQU

alternate sponsorship   commandite alternée (CAN)
     Contrat en vertu duquel deux annonceurs alternent à chaque émission pour présenter leur publicité.

PRO

AM
     Sigle international de la modulation d'amplitude.

INS

amateur program   crochet d'amateurs
     Émission à laquelle participent des amateurs en vue d'obtenir des prix, des récompenses.

PRO

amplitude modulation   modulation d'amplitude
     Mode de transmission du signal radio en modulant l'amplitude de l'onde plutôt que sa fréquence.

INS

anchor man   pilote d'émission
     Personne qui, dans une émission où s'insèrent divers éléments provenant de sources multiples, fait fonction de cheville ouvrière et assure les transitions et la coordination des divers éléments à l'écran.

MES   PRO   MET

ancillary rights   droits dérivés
derived rights
    Ensemble des droits régissant l'exploitation commerciale
d'éléments d'une émission non reliés à sa diffusion.
                            GES

angle adjustment handle   levier de réglage d'angle
    Commande permettant de régler les angles de prises de
vues.
                            EQU

angle shots   angles de prises de vues
    Prises de vues captées à un niveau autre que l'angle
normal de vision du spectateur.
                            MES
    V. aussi *camera angle*

animation   animation
    Technique cinématographique qui permet, à partir d'une
série de plans fixes dessinés ou photographiés, de reproduire
le mouvement.
                            PRO

animation director   chef-animateur
    Chef de l'équipe d'animation qui comprend l'animateur-
graphiste, le dessinateur-traitiste, le gouachiste et l'assistant.
                            PRO   MET

animations   dessins animés
    Éléments dessinés servant à la réalisation de films d'ani-
mation.
                            PRO

animation stand   banc-titre
camera stand
    Caméra verticale ou horizontale dont on se sert pour
filmer les séries de dessins superposés au décor, en animation.
                            EQU

animator   animateur-graphiste
Dessinateur qui, sous la direction du chef-animateur, réalise les dessins clés d'un film d'animation.

PRO   MET

announce booth   cabine de présentation
cabine de programme (FR)
cabine d'annonceur (CAN)
Petit studio servant à donner l'indicatif du réseau ou de la station ou à présenter des disques.

INS

announcer   présentateur
speaker / speakerine (FR)
annonceur (CAN)
Celui qui présente les émissions et donne des communications au nom de l'entreprise qui l'emploie.

PRO   MET

announcer coaching   assistance professionnelle
aux annonceurs (CAN)
Technique de perfectionnement d'un annonceur ou speaker en vue de le corriger de certains défauts, d'améliorer son débit, etc.

PRO

applause meter   applaudimètre
Appareil servant à mesurer l'intensité des applaudissements dans les studios.

INS

archive film   film d'archives
Film classé et conservé comme document de référence. Ne pas confondre avec *stock shot*.

EQU   PRO

art director   chef-décorateur
                                        décorateur-ensemblier
        Personne responsable de tous les éléments de décoration
dans une émission.

                        DEC   MET

artificial light   lumière artificielle
        Source lumineuse non naturelle.

                        DEC

artist   artiste
        Professionnel du monde du spectacle qui participe à une
émission.
        V. aussi *performer.*

                        GES   MES

artist relations   relations avec les artistes (CAN)
                                        relations avec les collabora-
                                        teurs artistiques
        Service qui traite avec les syndicats d'artistes dans une
entreprise de radiotélévision.

                        GES

assignment of right   cession de droit
        Transmission de la propriété d'un droit relatif à une
production télévisée.

                        GES

assistant animator   assistant animateur
        Dessinateur qui, sous la direction de l'animateur, réalise
des éléments de dessins animés.

                        PRO   MET

assistant camera operator   assistant caméraman
assistant cadreur (NORM.)
pointeur (fam.)
Personne qui aide le caméraman dans l'exécution de son travail.
MES   MET

audience   auditoire
1° Ensemble des personnes qui regardent une émission diffusée.
public
2° «Clientèle» d'un réseau ou d'une station.
PRO   GES

audience mail   courrier des auditeurs
Lettres que les auditeurs adressent à une station ou à une entreprise de radiotélévision.
PRO   GES

audience monitor   écran d'antenne
Écran de télévision qu'une entreprise met à la disposition du public et qui est directement alimenté par la régie finale.
INS

audience-participation show   émission à participation
du public
émission avec public
participant

Émission où des membres de l'auditoire en studio sont appelés à participer.
PRO

audience show   émission publique
audience program
Émission qui se déroule devant un public en studio.
PRO

audience studio　　　　　auditorium (au plur.
auditoriums)
studio public
　　Studio aménagé de façon à recevoir le public.
INS

audio　　　　　　　son
1°　Partie sonore d'une émission de télévision.
audio
2°　Ensemble des circuits et installations relatifs à la prise
de son et à la transmission du signal sonore.
audio
3°　Son décomposé en signal électrique.
INS

audio console　　　　　pupitre-son
audio control console　　　pupitre audio
　　Ensemble des commandes permettant de régler la partie
sonore d'une émission.
INS　　EQU

audio-console operation　　commande du pupitre-son
　　Fonction du technicien chargé de faire fonctionner le
pupitre-son.
EQU　　MET

audio control man　　　　opérateur-son
technicien du son
　　Technicien chargé du fonctionnement du pupitre-son.
INS　　MET
　　V. aussi *sound engineer*

audio control room　　　régie du son
　　Salle où l'on règle la qualité du son.
INS

audio operator   preneur de son
                                       sondeur (FR) (fam.)
    Technicien responsable du maniement des appareils de prise de son.

                                  INS   MET

audio signal   signal-son
                                       signal audio
    Son décomposé en courant électrique.

                                  INS

audiovisual library   audiovidéothèque
    Lieu où sont classés les documents sonores et visuels.

                                  INS

audition (n.)   audition
test   bout d'essai (FR)
    Séance d'essai pour évaluer la capacité d'un artiste à remplir un engagement.

                                  MES

audition (to)   auditionner
    1° Participer à une séance d'essai en vue d'un engagement.
    2° Accorder à un artiste une séance d'essai.

                                  MES   GES

autotransformer dimmer   gradateur automatique
    Dispositif de réglage automatique de l'intensité de l'éclairage.

                                  EQU

award   prix
1° Récompense décernée à une émission ou à un réalisateur, un artiste ou un artisan à l'occasion d'un concours.

citation
2° Mention accordée à une émission à cause de ses qualités.

GES

baby spotlight   spot
baby spot
    Petit projecteur d'éclairage.
                          DEC

background   fond
    Toile, paysage, photo, etc. qui ferme le décor du côté opposé aux caméras.
                          DEC

background drop   toile de fond
backdrop
    Rideau qui sert de fond de scène.
                          DEC

background light   projecteur de fond
                          projecteur d'horizon
    Dispositif d'éclairage dirigé sur le fond de scène.
                          DEC

background music   musique d'atmosphère
                          fond musical
    Musique dont on se sert pour faire un fond sonore ou pour créer une atmosphère.
                          MES
    V. aussi *mood music*

background sound   fond sonore
illustration sonore
    Ensemble des sons qui forment le décor sonore d'une émission.

MES

backing   pantalon
découverte
    Élément de décor placé derrière une porte ou une fenêtre.

DEC

back screen projection   projection par transparence
back projection   transparence
rear screen projection
background projection
process projection (rare)
    Procédé qui consiste à projeter un film ou des diapositives sur un écran translucide placé entre l'appareil de projection et la caméra.

MES

back screen projector   projecteur par transparence
celiomatic (M)
    Appareil servant à projeter des éléments visuels sur un écran translucide placé devant une caméra.

EQU

back timing   chronométrage à rebours
    Technique de vérification du minutage d'une émission qui consiste à compter à rebours le déroulement des divers éléments de façon à en déterminer avec précision les moments d'insertion.

MES

back-to-back commercials   annonces consécutives
annonces juxtaposées
Message publicitaire comprenant jusqu'à quatre annonces diffusées consécutivement.
PRO

back-up camera   caméra de réserve
Appareil de prises de vues mis en disponibilité en cas de panne.
EQU

barn doors   volets
coupe-flux (fam.)
Volets opaques placés à l'avant d'un projecteur pour couper une partie du flux lumineux.
DEC

barn-door wipe   volet ouvrant
Procédé de ponctuation électronique qui se présente sous l'aspect d'une porte à deux battants qui s'ouvre pour introduire la nouvelle scène.
MES

bayonet mount   monture à baïonnette
Dispositif de fixation de certains objectifs qui s'adapte facilement à la caméra et qu'on peut retirer à volonté.
EQU

beam projector   projecteur à faisceaux
parallèles
Appareil à éclairage dirigé et intensif à miroir parabolique.
DEC

beauty shot (of a product)   plan étudié
                                    plan produit
        Plan conçu spécialement pour mettre un produit en valeur
à des fins publicitaires.
                              PRO
biased   orienté
        Se dit des comptes rendus journalistiques ou des émis-
sions d'opinion qui manquent d'objectivité.
                              PRO
big close-up   très gros plan
extreme close-up   plan très serré (fam.)
tight close-up
        Plan de détail d'un objet ou d'une partie de figure.
                              MES
billboard   présentation
opening billboard   générique de tête
        Présentation graphique d'une émission comprenant en
général le titre, le nom du réalisateur et des principales vedettes.
                              MES
bit   rôle accessoire
bit part   petit rôle
                                    rôle secondaire
        Rôle mineur confié à un comédien.
                              GES   MES
bit player   utilité (n.f.)
        Comédien qui remplit un rôle accessoire.
                              GES   MES
black and white television   télévision en noir et blanc
        Télévision qui reproduit les scènes dans la gamme des
gris.
                              EQU

black out (to)   noircir
Produire au moyen d'un obturateur un écran noir entre deux diapositives.
MES

black out (to)   décrocher
Action d'écarter une station d'un réseau pour le temps d'une émission.
INS   GES

blimp   carter insonorisant
sound-proof blimp
Dispositif dont on entoure la caméra sonore pour atténuer les bruits mécaniques et éviter qu'ils soient reproduits par les appareils de prise de son.
EQU

block (to)   faire les cadrages
                           cadrer
Action de planifier la séquence des prises de vues pour une émission de télévision.
MES
V. aussi *frame (to)*

blocking   cadrage
Planification de la séquence des prises de vues.
MES
V. aussi *framing, picture composition*

bloop   bruit de collure
                           claque de collage
Bruit causé par une collure sur un film ou une bande magnétique.
EQU   MES

blooping notch   raccord sonore défectueux
  Défaut de continuité du son résultant d'un mauvais raccordement d'une bande magnétique ou d'un film.
                              EQU   MES

blooping patch   cache-collure (n.m.)
  Petite pièce ovale ou triangulaire posée sur la piste sonore d'un film pour éliminer le bruit de collure.
                              EQU

blow-up (n.)   agrandissement
  Procédé qui permet d'augmenter les dimensions d'une image photographique. Résultat de ce procédé.
                              DEC   MES

booking   engagement
  Contrat par lequel on retient les services d'un artiste pour une émission de télévision.
                              GES

boom arm   flèche (n.f.)
  Partie articulée d'une grue portant la caméra.
                              EQU

boom dolly   grue
  Appareil permettant les mouvements combinés de la caméra pour obtenir des plans de prises de vues variés.
                              EQU

boom man (fam.)   perchiste
boom operator   boom man (FR)
microphone boom operator
  Machiniste préposé au maniement des perches de microphone en studio.
                              EQU   MET

boom microphone   micro-perche
perche
Micro fixé au bout d'une perche pour suivre le déplacement des acteurs au cours d'une émission.
EQU

booster light   éclairage d'appoint
Lumière artificielle ajoutée à la lumière du jour.
DEC
V. aussi *accent light*

booth producer   metteur en ondes
Réalisateur qui ne fait qu'assurer le passage à l'antenne d'une émission dont l'essentiel du contenu a été produit par d'autres.
MES   MET

brace cleat   fer de maintien
Ferrure qui relie deux montants de châssis adjacents pour les maintenir dans un même plan.
DEC

breakaway furniture   meuble à briser
Meuble qui doit être brisé au cours d'une émission.
DEC

breakaway glass   verre à briser
Verre qu'on peut briser au cours d'une émission sans risque de coupures pour les acteurs.
DEC

broadcast (n.)   émission
Unité de diffusion d'un programme de radiotélévision formant un tout et identifiée par un titre.
PRO
V. aussi *program*

broadcaster communicateur (néol.)
Personne qui, à la radio et à la télévision, fait de la communication en tant qu'activité professionnelle.

PRO MET

broadcaster radiotéléaste
communicateur
Artisan de la radiotélévision.

MET

broadcaster radiodiffuseur
radiotélévision (n.f.)
Personne physique ou morale qui exploite une station ou un réseau de radiotélévision.

GES MET

broadcasting radiotélévision
Technique de transmission d'émissions de radio et de télévision au moyen d'ondes radioélectriques à l'intention du public.

INS

broadcasting corporation radiotélévision
broadcaster
Entreprise qui exploite des réseaux de radio et de télévision.

INS

broadcasting right droit d'antenne
droit de diffusion
Droit protégeant la transmission d'une émission par radiotélévision.

GES

broadcasting system radiotélévision
Ensemble des installations et des entreprises qui acheminent vers le public des émissions de radio et de télévision.

INS

broadcasting time   heures d'antenne
Heures pendant lesquelles diffuse une station.
          PRO   GES

broadcast journalism   journalisme parlé
          journalisme de radiotélévision
          radiotéléjournalisme (néol.)
Forme de journalisme pratiquée en radiotélévision.
          PRO

broadcast journalist   journaliste de radiotélévision
          (gén.)
Journaliste qui dit lui-même des nouvelles à la radio et à la télévision.
Obs.: On pourra également se servir des désignations spécifiques suivantes: téléjournaliste (sp.), radiojournaliste (sp.)
          MET   PRO

broadcast microphone   microphone de radiotélévision
Microphone utilisé en radiotélévision.
          EQU

budget unit head   chef de section budgétaire
          (CAN)
          responsable gestionnaire (FR)
Personne qui gère en dernier ressort les crédits accordés à un projet.
          GES   MET

built-in (adj.)   intégré
          incorporé
Se dit de différents dispositifs ou accessoires normalement distincts d'un appareil principal, mais qui lui sont intégrés.
          EQU

built unit   élément préfabriqué
      Élément de décors: plates-formes, colonnes, arbres, rochers, construit d'avance.

DEC

bus   voie de commutation
                                  omnibus
      Série de clés ou poussoirs qui commandent diverses opérations d'un même circuit.

EQU

bust shot   premier plan
close shot   plan rapproché
                                  plan buste
      Cadrage qui prend les personnages à partir de la taille.

MES

      V. aussi *medium close-up*

cable broadcasting   télédistribution
    Procédé d'acheminement des signaux de radiotélévision
au moyen de câbles coaxiaux desservant directement des
abonnés répartis sur un territoire donné.
                          INS

cableman   câbliste
    Agent préposé à la manutention des câbles d'alimentation
des caméras.
                          MET

cable television   télédistribution (gén.)
                          télévision par câble
    Système de transmission du signal de télévision au moyen
de câbles coaxiaux desservant des abonnés répartis sur un
territoire donné.
                          INS

call letters   indicatif (d'appel)
    Groupe de lettres servant à identifier une station d'émis-
sion.
          Obs.: L'expression INDICATIF D'APPEL s'emploie sur-
                tout en radio amateur. Pour la radiotélévision, on
                dit couramment INDICATIF DE LA STATION ou
                INDICATIF.
                          INS

call shots (to)   commander les plans
    Action par laquelle le réalisateur choisit ses plans par
l'entremise du directeur technique.
                                  MES

camera   caméra
    Appareil de prises de vues utilisé en télévision ou au
cinéma.
                                  EQU

camera angle   angle de prise de vues
    Position de la caméra par rapport au sujet.
                                  MES
    V. aussi *angle shots*

camera chain   chaîne caméra
    Ensemble des éléments nécessaires au fonctionnement
de la caméra : câble, bloc commande, groupe électrogène et
appareil de prises de vues.
                                  EQU

camera control unit   bloc-commande de caméra
ccu
    Installation groupant les différentes commandes d'une
caméra de télévision.
                                  EQU

camera crane   grue de caméra
    Grue orientable montée sur un chariot et dont la flèche
supporte une caméra et le siège du caméraman.
                                  EQU

camera light   voyant de prise
    Dispositif lumineux qui s'allume lorsque l'image saisie par
la caméra passe à l'antenne ou est enregistrée.
                                  EQU

camera log   conduite de montage
Cahier où l'assistant caméraman inscrit la séquence des scènes prises pour faciliter le montage.

MES

cameraman   caméraman
television cameraman   cadreur (FR)
                                    opérateur (cin.)
Technicien qui fait fonctionner l'appareil de prises de vues.
Obs. : Au pluriel, CAMÉRAMANS.

MET

camera monitor   écran-témoin
Écran qui reproduit l'image captée par une caméra.

EQU

camera mount   socle
camera pedestal
pedestal
Pied sur lequel repose la caméra.

EQU

camera movement   mouvement de caméra
Déplacement de la caméra en cours de prises de vues.

MES

camera platform   plate-forme de caméra
Plaque tournante qui permet de déplacer le siège du caméraman.

EQU

camera rehearsal   répétition technique
                                      répétition avec technique
Mise au point des éléments d'un spectacle télévisé avec le concours de l'équipe technique.

MES

camera script conduite du caméraman
conducteur du caméraman
Découpage à l'usage du caméraman.
MES

can (to) (fam.) mettre en boîte (fam.)
mettre en conserve
Enregistrer une émission pour utilisation ultérieure.
MES

Canadian content teneur canadienne
(d'une émission)
teneur en émissions
canadiennes (d'un
programme)
Éléments d'une émission ou d'un programme qui peuvent
être considérés comme canadiens.
PRO GES

cancel a program (to) retirer une émission
(de l'affiche)
Retrancher une émission du programme d'une station ou
d'un réseau.
PRO

canned music (fam.) musique enregistrée
stock music
Musique enregistrée sur n'importe quel support et con-
servée en discothèque.
PRO MES

canted shot cadrage penché
dutch angle
Angle de prise de vues où la caméra se place de biais, de
façon à composer l'image en en déplaçant les axes horizontal
et vertical.
MES

cap capuchon
Enveloppe extérieure qui recouvre la partie supérieure du microphone.

EQU

capstan cabestan
Partie du magnétophone qui sert de galet d'entraînement de la bande magnétique.

EQU

captive audience auditoire captif
Auditoire n'ayant accès qu'à un seul programme ou une seule chaîne de radio ou de télévision.

PRO

carry (to) passer
Le fait pour une station ou un réseau de transmettre une émission.

PRO

cartoon dessins animés
Film produit par l'animation de dessins.

PRO

cartrige robot (n. masc.)
Dispositif automatique qui sert à donner l'indicatif d'une station, d'un réseau, des messages d'autopublicité, des annonces éclair, etc.

INS

cartridge tape recorder magnétophone à cartouche
Magnétophone à chargement rapide fonctionnant à l'aide d'un conteneur dont la bande, contrairement à la cassette, ne se déroule que dans un sens.

EQU

casing boîtier
carter
Enveloppe extérieure d'un appareil.
EQU

cassette reproducer duplicateur de cassettes
Appareil servant à reproduire une cassette à plusieurs exemplaires.
EQU

cast distribution
Ensemble des comédiens participant à une émission.
MES

caster wheel roulette
Cylindre mobile autour d'un axe qui permet à la caméra de se déplacer en tous sens.
EQU

casting distribution
répartition des rôles
Action d'attribuer les rôles pour une émission donnée.
MES GES

casting director chef du Service de distribution
talent director (rare)
Personne chargée de faire les auditions et de négocier les contrats d'engagement avec les comédiens.
GES MET

cast title générique des rôles
Liste des comédiens participant à une émission.
MES

catwalk passerelle
Sorte de pont étroit traversant les cintres d'un studio.
INS

chain   batterie
    Groupe d'instruments travaillant de concert.

                EQU

change!   tournez!
flip!
    Commandement donné pour changer les cartes qui portent le générique.

                MES
    V. aussi *flip*

channel   canal (CAN)
                    chaîne (FR)
    Fréquence utilisée pour la transmission d'un signal télévision.

                INS
    V. aussi *network*

chest microphone   micro-plastron
    Microphone placé sur la poitrine du parleur.

                EQU

chroma   saturation
saturation
    Qualité d'une couleur pure.

                EQU

chroma key   incrustation-couleur
    Trucage électronique qui permet la surimpression des couleurs.

                EQU

circle of confusion   cercle de confusion
                    cercle d'imprécision focale
    Distance sur laquelle on peut déplacer la caméra sans nuire à la précision de l'image.

                EQU

circulation clientèle
Auditoire réel d'une station de radio ou de télévision.
GES PRO

clapman claquiste
Machiniste chargé de faire fonctionner la claquette.
MET

clap-sticks claquette
clap-board
clapper-board
clap (fam.)
Dispositif d'identification et de synchronisation des séquences de tournage sonore composé de deux planchettes réunies par une charnière et fixées à une ardoise.
EQU

clean feed signal international
relais international
Dans les reportages destinés à des publics de langues différentes, trame sonore et/ou visuelle commune sur laquelle on peut greffer un commentaire original dans chaque langue.
MES

clearance rights droits d'affranchissement
Droits versés pour l'utilisation d'une œuvre musicale sur les ondes.
GES

clock wipe volet tourniquet
tourniquet
Dispositif de transition électronique qui efface l'image à partir d'un rayon tournant dans le sens des aiguilles d'une montre.
MES

close cut (to)   détourer
Retenir sur un cliché un détail ou un élément digne d'intérêt, en éliminant le reste.
DEC

closed circuit television   circuit fermé de télévision
Installation permettant la diffusion d'un signal télévision entre divers points de réception internes, à des fins privées.
INS

close medium shot   plan américain
knee shot   plan italien (rare)
                                   plan mi-cuisse (sp.)
                                   plan-genou (sp.)
Image où les personnages sont montrés à mi-cuisse ou au-dessous du genou.
MES
V. aussi *thigh shot*

close talk microphone   microphone de proximité
close talking microphone
Microphone conçu pour être placé tout près de la bouche du parleur.
EQU

close-up (n.)   gros plan
                                   plan-tête (sp.)
Image d'un détail d'un objet ou d'un personnage.
MES
V. aussi *head shot*

closing billboard   mention de clôture
closing signature   signature
signature
Identification publicitaire du commanditaire passant à la fin d'une émission.
PRO

cloth rack penderie mobile
Penderie sur roulettes servant au transport des costumes.
INS

clothes light éclairage-costumes
Éclairage d'appoint projeté sur un vêtement sombre.
DEC

cluster bloc d'annonces
Créneau ou espace publicitaire où sont groupés au moins deux messages, pour un ou plusieurs annonceurs.
PRO

coach moniteur
Technicien chargé de la formation pratique des apprentis techniciens.
MET

color chart nuancier
TV color chart
Tableau où l'on reproduit pour chaque couleur la gradation de toutes les nuances, du pâle au foncé.
EQU

color man commentateur auxiliaire
Commentateur qui accompagne le commentateur principal au cours d'un reportage pour permettre à ce dernier de reprendre haleine en donnant au public des renseignements de nature documentaire intéressants.
MET

come across well (to) passer bien (v. intrans.)
Le fait pour quelqu'un d'être bien servi par le petit écran lorsqu'il y paraît.
PRO

commentator   commentateur
Personne qui fait la description d'un match ou d'une
compétition sportive ou d'un événement spécial.

MET

commercial   annonce publicitaire
commercial announcement   message publicitaire
Message faisant la publicité d'un produit ou d'un service
et diffusé à la radio ou à la télévision.

PRO

commercial announcer   annonceur commercial
Présentateur des messages publicitaires au cours d'une
émission commanditée.

PRO

commercial record   disque du commerce
Disque vendu dans le commerce et dont la reproduction
est interdite en radiotélévision.

GES

commercial station   station commerciale
Station de radiotélévision exploitée dans un but lucratif.

GES   INS

commissioned work   œuvre de commande
Œuvre commandée à un auteur ou compositeur en vue
de son exécution ou de sa représentation.

MES   GES

communication satellite   satellite de télécommuni-
                                  cations
Satellite artificiel qui relaie, entre autres signaux, le signal
d'émetteurs de télévision.

INS

community antenna antenne collective
Antenne de réception collective d'un signal de télévision.
INS
V. aussi *master antenna*

community broadcasting radiotélévision communautaire
Activités de production et de programmation en radiotélévision assumées par la collectivité elle-même.
PRO

composite shot image composite
combination shot plan mixte
polyptique
Image de télévision incorporant des plans fournis par
plusieurs caméras.
MES
V. aussi *multiple image, split screen*

console pupitre
console
Meuble qui regroupe les divers leviers et boutons de
commande pour un équipement donné.
INS

content contenu
Ce qui constitue le fond de l'émission par opposition à
sa forme.
PRO

contestant concurrent
Participant à un concours ou à un jeu télévisé ou radio-
phonique.
MES   PRO

continuity texte d'enchaînement
transitions
liaisons
enchaînements
1° Textes écrits pour lier entre eux les différents numéros qui constituent une émission.

MES PRO

conduite (FR)
découpage
scénario
2° Description détaillée de la marche d'une émission avec textes et indications techniques.

MES

V. aussi *cue sheet, shooting script*

continuity music musique de transition
enchaînements musicaux
Courte pièce musicale qui lie les différentes parties d'une émission.

MES

continuity writer rédacteur d'enchaînements
1° Rédacteur préposé à la rédaction des textes qui lient entre elles les différentes parties d'une émission.

MET

scénariste
2° Rédacteur du texte d'une émission avec indications techniques.

MET

V. aussi *script writer*

continuous shot plan prolongé
Plan sur lequel s'attarde la caméra.

MES

contra-account advertising publicité compensée
Publicité échangée entre médias pour faire leur réclame respective.

GES PRO

contract employee contractuel (n.m.)
Agent lié par contrat à une entreprise de radiotélévision.

GES

contractor contrôleur délégué
Musicien délégué par son syndicat pour veiller aux contrats d'engagement de groupes de musiciens dont le nombre dépasse vingt.

GES

contribution participation
apport
Émission ou élément d'émission fournis par une station au programme du réseau.

PRO MES

control group public témoin
Groupe de personnes réuni pour permettre d'évaluer les réactions du public à certaines émissions.

PRO

control point poste de commande
régie
Lieu où sont réunies les commandes des caméras, les installations de commutation audio et vidéo.

INS

control room régie de studio
studio control room
Poste de commande relié directement à un studio et qui assure la mise au point technique de l'émission.

INS

control room window   baie de la régie
Large fenêtre qui donne de la régie sur le studio et permet au réalisateur de suivre ce qui se passe.

INS

co-production   coproduction
Association de plusieurs entrepreneurs de spectacles pour réaliser une émission ou une série.

PRO   GES

copyright   tous droits réservés
Mention interdisant la reproduction ou la représentation d'une œuvre.

GES

copyright clearance   affranchissement des droits
Opération qui consiste à obtenir l'autorisation d'utiliser une œuvre protégée par des droits.

Expressions connexes :

music copyright clearance : affranchissement des œuvres musicales

request for copyright clearance : demande d'affranchissement

the copyright is cleared : les droits sont acquis

GES

copyright clearance office   bureau des droits d'auteur
Service chargé du paiement des droits et redevances exigés par la production d'une émission.

GES

copyright work   œuvre protégée
Œuvre dont la reproduction est interdite en vertu du dépôt légal du copyright.

GES

corner block écharpe
Triangle de bois ou de métal placé à chaque angle d'un châssis pour le solidifier.

DEC

co-sponsor cocommanditaire
alternate sponsor
Commanditaire associé à un autre pour patronner une émission.

PRO GES

co-sponsorship commandite partagée
shared sponsorship cocommandite
split sponsorship (rare)
joint sponsorship
Association de deux ou plusieurs commanditaires pour patronner une émission.

PRO GES

costume designer créateur de costumes
Personne responsable de la conception des costumes pour une émission.

DEC MET

counterweight contre-poids
Lest que l'on place sur la béquille d'un châssis pour lui donner plus de stabilité.

DEC

counterweighted crane dolly chariot-grue à contre-poids
Type de chariot de caméra doté d'une grue à contre-poids.

EQU

cover (to)   arroser
couvrir
Mettre le signal d'une station ou d'un réseau à la portée d'une population, d'un territoire.

INS

coverage area   aire de rayonnement
Territoire arrosé par l'émetteur d'une station.

INS

cover shot   plan de rechange
Plan d'une même scène pris parallèlement par une caméra qui ne passe pas à l'antenne.

MES

cow-catcher   annonce initiale
pré-annonce
Message publicitaire qui passe au début d'une émission, avant le déroulement du programme.

PRO

crab dolly   chariot omnidirectionnel
Chariot de caméra dont les roues sont omnidirectionnelles.

EQU

crackling noise   crépitement
Bruits parasites intermittents qui imitent ceux d'un bois résineux qui brûle.

INS

crawl   générique de fin
Liste de tous les collaborateurs qui passe à la fin de l'émission.

MES

crawl-title device   déroulant (n.)
crawl
rolling titles
     Dispositif qui permet de faire se dérouler à l'écran les mentions du générique.

EQU

credit   mention au générique
     Mention d'un collaborateur d'une émission à son générique.

GES   MES

credits   générique
     Liste de tous les collaborateurs d'une émission : comédiens et personnel technique.

GES   MES

crime drama   dramatique policière
     Émission dont l'intrigue est centrée sur un crime.

PRO

     V. aussi *detective story, mystery*

crooner   chanteur de variétés (gén.)
                             chanteur de charme (sp.)
     Chanteur de variétés dont les interprétations visent à exploiter les possibilités de l'amplification pour donner une impression d'intimité, de langueur.
     Obs. :   Le *crooner* est un type américain de chanteur de variétés ; tous les chanteurs de variétés ne sont pas des *crooners.* Le chanteur de charme interprète surtout des chansons sentimentales ; le *crooner* peut élargir son répertoire au-delà de la chanson sentimentale.

MET

cropping   détourage
Action d'éliminer dans une image les éléments indésirables.

MES

crosslight   éclairage croisé
Éclairage de relief consistant en un croisement des faisceaux d'éclairage de face et de côté.

DEC

crowd shot   plan de foule
Prise de vues montrant une foule.

MES

cue   top
1° Signal de départ donné dans les studios.

marque
2° Tracé que l'on fait sur un disque pour en repérer
certains passages.

MES

cue (to)   signaler
Donner à quelqu'un l'indication de faire quelque chose.

MES

cue a record (to)   marquer un disque
1° Opération qui consiste à marquer un disque pour en
repérer certains passages.

pointer (le disque)
2° Opération qui consiste à mettre l'aiguille de lecture au
point précis où le disque doit commencer à jouer.

MES

cue card   carton aide-mémoire
idiot card   nègre (FR)
    Carte tenue hors du champ de la caméra et sur laquelle on inscrit un texte pour aider un comédien ou un animateur dans son débit.

        Obs.: Aide-mémoire est un terme générique qui s'applique à tous les dispositifs servant à la même fin : souffleurs mécaniques ou électroniques, cartons, etc.

                    MES

cue dot   repère
    Point blanc qui apparaît à l'angle droit de l'écran avant le passage d'une annonce publicitaire.

                    INS   GES

cueing   signalisation
cuing
    Ensemble des signaux donnés au cours d'une émission de télévision.

                    MES

cue mike   micro d'ordres
service mike
    Microphone servant à donner des ordres en studio.

                    EQU

cue screen   écran de repérage
    Écran sur lequel apparaît une image ou une séquence annonçant un insert.

                    INS

cue sheet feuille de route (R.C.)
conduite (FR)
conducteur
Feuille où l'on donne le déroulement de l'émission avec indications de minutage et notes d'enchaînement.

MES

V. aussi *dope-sheet, line-up*

current events actualité
Ensemble des événements rapportés par les médias dans leurs informations.

PRO

curtain rideau
Pièce d'étoffe généralement mobile servant d'élément de décor.

DEC

cut! coupez!
Commandement interrompant une prise de vues.

MES

cut coupure
sec (FR)
coupure franche
Passage brusque d'un signal vidéo à un autre sans transition.

MES

V. aussi *switch*

cutaway parenthèse
cut-in shot
intercut shot
Un ou plusieurs plans qu'on insère dans une séquence, mais qui sont étrangers au déroulement normal de l'action en cours.

MES

cut bus   voie (de commutation)
                               principale
Circuit de clés régissant les transitions simples.
                          INS

cut-in (n.)   insert publicitaire
1° Annonce publicitaire locale insérée dans un créneau
prévu à cette fin dans une émission de réseau.
                          PRO
                          insert
2° Élément d'une source extérieure inséré dans une
émission.
                          MES

cut out   cliché
Patron découpé dans un support opaque et placé entre
une source lumineuse et une surface de projection.
                          DEC

cut slide   diapositive de transition
                               diapo de transition (fam.)
Diapositive servant à faire une transition à la télévision.
                          MES

cutting bar   voie de montage
Voie de commutation dans un pupitre de commande qui
permet d'effectuer un montage électronique.
                          INS

cutting basket   corbeille à pellicule
cutting bin
cutting barrel
Dispositif destiné à recevoir la pellicule non utilisée au
cours du montage.
                     MES   EQU

cyclorama   cyclorama
cyc.   cyclo
     Toile de fond circulaire ou hémicirculaire.
                                 DEC

daily fault report   relevé quotidien des incidents techniques

Relevé quotidien des défectuosités techniques de transmission.

INS

dead black   noir mat

Couleur noire non réfléchissante.

DEC

dead studio   studio sourd
dead room

Studio dont les parois sont revêtues de matériaux absorbants de façon à supprimer toute réverbération.

INS

dealer tag   annexe (du détaillant)
mention du détaillant

Dans tous les supports de publicité, mention d'un ou de plusieurs détaillants qui se greffe à l'annonce d'un produit.

PRO

defocus transition   enchaîné au flou

Transition opérée par la mise hors foyer de l'image.

MES

delayed broadcast   transmission différée
   1° Reportage retransmis après l'événement qui en a fait l'objet.
               PRO
               émission en différé
   2° Émission diffusée après enregistrement.
               PRO

delayed broadcasting   différé (n.m.)
   Procédé de diffusion d'une émission au réseau après son passage à la station mère.
               INS   PRO

demountable set   décor démontable
   Décor dont les éléments peuvent se remonter à volonté pour des utilisations successives.
               DEC

depth of field   profondeur de champ
   Espace dans lequel peut se déplacer le sujet pris par une caméra sans nécessiter un changement de mise au point.
               MES

depth of focus   profondeur de foyer
   Dans la caméra de télévision, distance entre la lentille et la plaque mosaïque qui définit l'aire de netteté de l'image.
               EQU   MES

design department   scénographie
                  service scénographique
   Service responsable de la conception des décors.
               DEC
   V. aussi *staging*

design library   scénothèque
Lieu où l'on classe dessins, plans, graphiques et maquettes utilisés pour la décoration scénique.
DEC

detective story   dramatique policière
policier
Dramatique centrée sur une intrigue policière.
PRO
V. aussi *crime drama, mystery*

diagonal brace   écharpe diagonale
Latte de bois qui relie en diagonale la tête d'un châssis au montant opposé.
DEC

dialogue writer   dialoguiste
Personne qui rédige et met au point le dialogue d'un film ou d'une émission de télévision.
MET

dim (to)   réduire
Action de diminuer l'intensité des éclairages au cours d'une émission.
DEC

dimmer   gradateur
Dispositif servant à faire varier graduellement l'intensité de l'éclairage dans une émission.
INS   DEC

diorama   diorama
Tableau constitué d'une toile de fond avec éléments en relief.
DEC

director (US)   réalisateur
producer (CAN)
    Responsable de la conception artistique et technique
d'une émission.

                              MET   MES

director of photography   directeur de la photographie
    Personne responsable de la qualité technique et photo-
graphique d'un film ainsi que des éléments de la composition
artistique d'une image.

                              MES   MET

director-producer   réalisateur-producteur
    Personne qui produit l'émission sur le plan artistique et
qui en assure le financement.

                              MET   MES

dirt   poussière
    Particules de poussière, de mousse, etc., visibles sur
l'écran lors de la projection d'un film.

                              EQU

dissolve   fondu enchaîné
lap dissolve
cross fade
cross dissolve
    Technique de transition par laquelle l'image d'une nou-
velle séquence apparaît avant la disparition de la dernière
image de la séquence précédente.

                              MES

distortion   distorsion sonore
    1° Déformation du son à la reproduction.
                                   distorsion optique
                                   distorsion électronique

2° Déformation de l'image attribuable à une défectuosité optique ou électronique.

INS

docking area   débarcadère
Endroit réservé dans les studios au chargement et au déchargement des décors.

INS

documentary film-maker   documentariste
Spécialiste du film documentaire.

MET

documentary program   émission documentaire
documentary
Émission consacrée à l'étude d'une question par des reportages fondés sur des documents et des faits.

PRO

dolly   chariot
Plate-forme munie de roues ou de roulettes sur laquelle est installée la caméra.

EQU

dolly (to)   faire un travelling
Faire une prise de vues en déplaçant la caméra.

MES

dolly in   travelling avant
Prise de vues où la caméra avance vers un objet ou un personnage.

MES

dollyman   pilote
dollypusher
pusher
Technicien qui manœuvre le chariot d'une caméra.

MET

dolly out   travelling arrière
 Prise de vues où la caméra s'éloigne d'un objet ou d'un personnage.
          MES

dolly pushing   pilotage de chariot
 Fonction de celui qui manœuvre le chariot d'une caméra.
          MET

dolly shot   travelling (n.m.)
 Prise de vues où la caméra se déplace.
          MES

dope-sheet (fam.)   conduite
          conducteur
          feuille de route (CAN)
 Découpage remis au caméraman à l'occasion d'un reportage.
          MES
 V. aussi *cue sheet, line-up*

double   cascadeur
stunt man
bump artist (pop.)
 Acrobate qui remplace une vedette pour l'exécution de prouesses dangereuses.
          MET

double system (adj.)   à double piste
          à double bande
 Se dit d'une technique d'enregistrement ou de lecture magnétiques utilisant deux têtes distinctes l'une pour le son, l'autre pour l'image.
          INS

drama dramatique (n.f.)
television drama
Émission comportant une intrigue et des personnages et qui vise à produire un effet esthétique.
PRO

dramatization dramatisation
Action de donner à un contenu d'émission une forme dramatique. Son résultat.
PRO

dramatize (to) dramatiser
Donner une forme dramatique à quelque chose.
PRO MES

dramatized documentary documentaire dramatisé
dramatique documentaire
Émission documentaire présentée sous forme dramatique.
PRO

drape draperie
Drap dont on se sert pour couvrir un mur ou un objet, et qu'on ne peut déplacer comme un rideau.
DEC

draw line tirette
fil de manœuvre
Fil à l'aide duquel on déplace les rideaux dans un décor.
DEC

dresser habilleur
Personne responsable de la manipulation des costumes et qui peut, à l'occasion, aider les comédiens à s'habiller.
MET

dressing room salle d'habillage
Salle où se fait l'habillage des artistes.
INS

dress rehearsal   générale (n.f.)
     Répétition faite avec technique et costumes et qui se
déroule d'un seul tenant.

                              MES

drop-in titles   cartons à rabattre
     Mode de présentation du générique au moyen de cartons
reliés au sommet et qu'on peut rabattre à volonté.

                         DEC   MES

drop-out (n.)   paille (magnétique)
     Portion (de surface) non magnétisée d'une bande magné-
toscopique.

                              EQU

drop-out titles   cartons à relever
     Mode de présentation du générique au moyen de cartons
reliés par le bas et qu'on peut relever à volonté.

                         DEC   MES

drop titles   cartons volants
     Terme générique désignant un mode de présentation du
générique au moyen de cartons reliés qu'on peut relever ou
rabattre.

                         DEC   MES

drum   baril à titres
roll drum
     Dispositif de présentation du générique à l'aide d'un
cylindre tournant.

                              EQU

dry mount   montage à chaud
     Image montée au moyen d'une presse à chaud.

                         DEC

dry mounting   montage à chaud
     Procédé qui consiste à fixer une image sur un support rigide à l'aide d'une laque adhésive qui fond sous l'action d'une presse à chaud.
                              DEC

dry rehearsal   répétition sans technique
dry run
     Répétition d'une émission sans faire intervenir la technique.
                              MES

dual track recorder   magnétophone bipiste
half track tape   magnétophone à deux pistes
                              magnétophone demi-piste
     Magnétophone dont la tête enregistreuse ne couvre que la moitié de la largeur de la bande, permettant un second enregistrement sur l'autre moitié.
                              EQU

dubbing   repiquage
     1° Opération consistant à copier un disque ou une bande magnétique par réenregistrement sur un disque ou une bande vierge.
                         PRO   MES
                         doublage
                         postsynchronisation
     2° Opération visant à donner à une émission une piste sonore dans une langue autre que celle de l'émission originale.
                         PRO   MES
                         copie magnétique
                         polycopie magnétique
     3° Opération qui permet de tirer à plusieurs exemplaires une bande magnétique originale.
                              INS

dubbing   mixage
re-recording
   Action de combiner les diverses sources, enregistrées ou
non, qui doivent former la trame sonore d'une émission.
                                 MES   INS
   V. aussi *mix*

dubbing session   séance de mixage
re-recording session
   Période de travail où l'on conjugue sur une même piste
sonore le signal provenant de sources diverses.
                                 MES   INS

dupe negative   contretype négatif
   Reproduction exacte du négatif fourni par la caméra.
                                 INS

dutch man   battement
   Pièce de bois, de tissu ou de papier destinée à masquer la
jonction de deux châssis.
                                 DEC

dynamic microphone (GB)   microphone électrodynamique
   Terme générique désignant les microphones dont l'élément vibrant est constitué d'un conducteur mobile.
                                 EQU

dynamic microphone (US)   microphone à bobine mobile
moving coil microphone (GB)
   Microphone dont l'élément vibrant est constitué d'une
bobine qui se déplace dans le champ d'un aimant permanent.
                                 EQU

echo chamber   chambre d'écho
Dispositif permettant de produire un effet de réverbération
simulant le phénomène d'écho.

INS

edge light   lumière à contre-jour
back light
Source d'éclairage placée derrière le sujet face à la caméra.

DEC

editing   montage
cutting
Action de retenir dans une série de prises de vues les
images à assembler pour faire la version définitive d'un film
ou d'une émission.

MES

editor   rédacteur
1° Journaliste d'une salle de nouvelles radio ou télévision.

monteur
2° Technicien chargé de préparer la version définitive
d'un film ou d'une émission sur bandes.

MET

educational television   télévision éducative
     Télévision dont le but est de diffuser des émissions di-
dactiques ou culturelles.

PRO

effects bus   voie de trucages
                                        omnibus de trucages
     Dans un pupitre de commande, série de commutateurs
permettant de réaliser des trucages électroniques.

INS

effect shot   plan truqué
     Plan qui produit par trucage un effet particulier.

MES

electronic matting   cache électronique (n.m.)
     Procédé qui permet de produire électroniquement les
transitions entre les éléments d'une émission ou d'un programme.

MES

electronic montage   montage électronique
electronic editing
     1° Ensemble des procédés électroniques utilisés pour
produire les images composites, les incrustations, les
volets, etc.

INS   MES

     2° Sélection des images à faire passer à l'antenne.

MES

V. aussi *inlay-overlay*

electronic news gathering   journalisme électronique
eng
    Technique de journalisme axée principalement sur l'utilisation des appareils électroniques : magnétoscope, magnétophone, etc.
    Obs. : On trouve aussi l'expression REPORTAGE ÉLECTRONIQUE.

PRO

electronic tube dimmer   gradateur électronique
    Dispositif électronique de réglage des intensités de l'éclairage.

INS   DEC

electronic video recording   électrocinéma
                                  électrociné (fam.)
    Procédé électronique d'enregistrement de l'image.

INS

electronic view finder   viseur électronique
    Petit écran témoin qui permet au caméraman de vérifier ses cadrages sur sa caméra même.

EQU

electronic wipe   volet électronique
    Volet utilisé dans le direct à la télévision.

MES

ellipsoidal projection spot   spot à réflecteur ellipsoïde
    Petit projecteur à faisceau dirigé qui permet de circonscrire avec précision la surface éclairée.

DEC

84

emcee　　　　　　　　　　hôte
master of ceremonies　　animateur
host
　　Personne qui présente les différents numéros d'une
émission de variétés.
　　　　　　　　　　　　　　　　MET
　　V. aussi *moderator, quiz master*

end leader　　　　　　　amorce de fin
tail leader　　　　　　　amorce finale
　　Bout de pellicule sans image qui termine un film ou une
bande magnétique.
　　　　　　　　　　　　　　　　INS

entertainer　　　　　　　amuseur
　　1° Personne dont le métier est de distraire ou d'amuser
le public.
　　　　　　　　　　　　PRO　　MET
　　　　　　　　　　　　entreprise de spectacles
　　　　　　　　　　　　entrepreneur de spectacles
　　2° Personne physique ou morale qui donne des spectacles de divertissement.
　　　　　　　　　　　　PRO

entertaining program　　émission de divertissement
　　　　　　　　　　　　　　émission distractive (néol.)
　　1° Genre d'émission dont le but est de distraire, de dé-
lasser l'esprit en l'amusant.
　　　　　　　　　　　　　　émission distrayante
　　　　　　　　　　　　　　émission récréative
　　　　　　　　　　　　　　émission divertissante
　　2° Émission qui, par sa qualité même, divertit agréable-
ment.
　　　　　　　　　　　　PRO

ephemeral recording   enregistrement éphémère
Enregistrement fait pour une émission en différé et détruit
après la diffusion.

PRO   GES

equipment   équipement
1° Ensemble d'objets, d'appareils, d'instruments et
d'installations nécessaires ou utiles à l'exercice d'une
activité de production.

matériel
2° Objets, instruments et machines nécessaires à l'ac-
complissement d'un travail.

EQU   GES

erase head   tête d'effacement
Dans un magnétophone ou un magnétoscope, dispositif
qui sert à effacer l'enregistrement fait sur une bande.

EQU

erect (to) the set   planter le décor
Mettre les éléments de décor en place sur le plateau.

DEC

establishing shot   plan général
vista shot   plan d'ensemble
cover shot
Image qui comprend un panorama, une foule, un ensemble quelconque et qui sert d'introduction à une séquence.

MES

V. aussi *master shot*

ethnic station   station allophone
Station de radio ou de télévision qui diffuse dans des
langues autres que les langues officielles du pays.

INS

excerpt   extrait
                   fragment
    Élément tiré d'une œuvre musicale.
                   MES

exclusive contract   contrat d'exclusivité
    Contrat d'engagement qui assure à une entreprise de radiotélévision l'exclusivité des services d'un annonceur, d'un comédien ou d'un réalisateur.
                   GES

executive producer   producteur délégué
    Représentant du producteur sur les lieux de production.
                   GES   MET

exit   sortie
    Sortie du comédien du champ de la caméra.
                   MES

experimental program   banc d'essai
    Émission qui fait l'essai de nouvelles techniques de production ou de nouveaux genres d'émissions.
                   PRO   GES   MES

experimental television   télévision d'essai
                   télévision expérimentale
    Télévision qui cherche à mettre au point de nouvelles techniques de production et des formules inédites d'émissions.
                   GES   PRO

exposure   apparition
    Le fait pour une personne de paraître à l'écran de télévision.
                   MES   GES

exterior   extérieur (n.m.)
1° Scène tournée à l'extérieur des studios.
2° Décor qui reproduit une scène de plein air.
                                MES   DEC
V. aussi *location*

exterior view finder   viseur général
Écran témoin reproduisant un champ plus grand que celui capté par la caméra.
                                EQU

extra   figurant
walk-on
general extra
Acteur remplissant un rôle de figuration simple dans une émission ou un film, sans aucune individualisation de sa participation.
                                MES   MET

extraneous noise   bruit parasite
Bruit indésirable capté par un microphone en cours de production.
                                MES

extremely wide angle lens   objectif ultra-grand-angulaire
fish eye lens
ultra wide angle lens
Objectif à très courte focale couvrant un angle de presque 180°.
                                EQU

eye light   petit projecteur pour les yeux
eye catch light
Éclairage de gros plan pour produire un reflet dans les yeux de l'artiste photographié.
                                DEC

eye shadow　　　　　　　　　fard (à) paupières
　　　　　　　　　　　　　　　ombre (à) paupières
　　Produit de maquillage de teintes variées qu'on applique sur les paupières pour souligner l'importance des yeux.
　　　　　　　　　　　　DEC

facilities
installations
aménagements
facilités techniques
Ensemble des moyens techniques servant à la production d'émissions.

INS

fade
fondu (n.m.)
Terme générique désignant les procédés de transition par disparition progressive de l'image.

MES

fade (to)
fondre
faire un fondu
Faire disparaître progressivement une image à l'écran.

MES

fade grey
fondu au gris
Réduction de la luminosité de l'image en télévision de façon à obtenir un écran uniformément gris.

MES

fade-in
ouverture en fondu (radio)
fade to white
fondu au blanc (télé)
fade-up
Augmentation graduelle du signal audio ou vidéo.

MES

fade-out fermeture en fondu (radio)
fade-down fondu au noir (télé)
fade to black
Diminution graduelle du signal audio ou vidéo.

MES

fader atténuateur
fader dial gradateur
pot (fam.)
mixer
fader control
Commande de variation du niveau d'un signal audio ou vidéo.

INS   EQU

fade under fondu soutenu
Diminution du niveau d'une source sonore qui sert ensuite de fond ou d'arrière-plan.

MES

family type program émission pour tous
Émission qui s'adresse aussi bien aux jeunes qu'à leurs aînés et convient à l'écoute familiale.

PRO

fantasy superimposure trucage fantaisiste
Surimpression cherchant à produire des effets inusités ou insolites.

MES

farm broadcaster chroniqueur agricole
Commentateur spécialisé dans les questions d'agriculture.

PRO   MET

farm broadcasting   émissions rurales
   émissions agricoles
   Émissions destinées aux agriculteurs.
   PRO

feature   numéro vedette
   1°   Numéro principal d'une émission de variétés.
   PRO
   topo
   tampon
   2°   Séquence de nature semi-documentaire, utilisée parfois pour clore le journal télévisé.
   PRO
   manchette
   3°   Nouvelle principale d'une émission d'information.
   PRO
   varia (n.m.pl.)
   4°   Article ou reportage sur des sujets variés et souvent anecdotiques.
   PRO

feature player   vedette
feature performer   tête d'affiche
   Protagoniste d'une émission.
   GES   PRO
   V. aussi *star*

feature program   émission de prestige
   Émission à grand déploiement.
   PRO

fee   cachet
   Rémunération versée aux participants d'une émission.
   GES

feed (n.) alimentation
signal (tech.)
relais
Courant porteur de sons ou d'images provenant d'une source déterminée.

INS   GES   PRO

V. aussi *signal*

feed (to) alimenter (tech.)
acheminer
transmettre
Action de transmettre un courant porteur de sons ou d'images.

PRO   INS   GES

feed-back rétroaction
réinjection
Reprise par le microphone du son émis par un haut-parleur.

INS

feed reel bobine débitrice
supply reel
Bobine qui fournit le ruban ou le film dans un appareil d'enregistrement.

EQU

field cameraman caméraman de reportage
reporter-caméraman
Caméraman travaillant surtout en extérieur.

MET

field lens objectif de reportage
Objectif utilisé pour les reportages, à l'exclusion des zooms.

EQU

field of view champ de vues
prise de vues
Cadrage projeté pour une image.
MES

fill-in (n.) interlude
Divertissement, sous forme de disque ou de bout de film, placé entre deux émissions pour combler un vide.
PRO
V. aussi *interlude*

fill light projecteur d'appoint
Éclairage de compensation ou supplémentaire pour éliminer les zones d'ombres créées par l'éclairage dominant.
DEC

fill program émission de secours
back-up program
Émission de remplacement à utiliser en cas d'imprévu.
PRO

film cameraman cinécaméraman
caméraman-film
Opérateur de prises de vues cinématographiques.
Obs. : Au pluriel, CINÉCAMÉRAMANS.
MET

film chain télécinéma
television film chain téléciné (fam.)
telecine
Ensemble des installations nécessaires à la projection d'un film cinématographique à la télévision.
INS

film clip   extrait
film strip   fixe (n.m.)
                           bout de film (fam.)

1° Extrait composé des images les plus représentatives d'un film ou d'une scène.

                           insert (n.m.)

2° Suite d'images formant un tout et habituellement destinées à être insérées dans une émission en direct.

MES

V. aussi *insert*

film editing   montage cinématographique
film cutting (rare)

Agencement des plans et séquences d'un film pour lui donner le maximum de signification.

MES

film editor   monteur de film
film cutter

Technicien responsable du choix et de l'agencement des plans et séquences de prises de vues pour former le produit final.

MET

film library   cinémathèque

Endroit où l'on range et conserve les films cinématographiques.

INS

film news   actualités filmées

Informations filmées portant sur les événements du jour.

PRO

V. aussi *newsreel*

film-pickup camera   caméra de télécinéma
     Caméra utilisée pour la diffusion des films cinémato-
graphiques à la télévision.
                              EQU

film procurement   approvisionnement en films
     Action de fournir à un organisme de radiotélévision les
films de cinéma nécessaires à son exploitation.
                              GES

final cut   montage final
fine cut   copie finale
     Version définitive d'un film une fois le montage terminé.
                              MES

finder   régisseur d'extérieur (FR)
                              rabatteur (CAN)
     Personne qui trouve accessoires et costumes qui ne sont
pas dans les stocks de l'entreprise.
                              MET

fitting room   salle d'essayage
     Local où les artistes vont faire l'essayage de leurs cos-
tumes.
                              INS

fixed time programming   programmation à créneaux
                              fixes
     Mode de programmation des annonces publicitaires qui
reviennent tous les jours à périodes fixes dans la grille horaire.
                              PRO
V. aussi *strip programming*

flameproofing   ignifugeage
     Traitement destiné à rendre les éléments de décors résis-
tants au feu.
                              DEC

flash flash (n.m.)
1° Scène rapide, plan de courte durée.

MES

flash (n.m.)
brève (n.f.)
nouvelle-éclair
2° Première annonce, très brève, d'une information importante sur laquelle des développements suivront ultérieurement.

PRO

flash-back retour en arrière
retour
Plans ou séquences, en général de courte durée, qui rappellent au cours d'un film ou d'une émission des événements antérieurs au déroulement de l'action dramatique.

MES

flat châssis
Élément de décor constitué d'un cadre de bois recouvert de toile ou de contre-plaqué.

DEC

flat lighting éclairage doux
éclairage diffus
Genre d'éclairage sans zone d'ombres ni d'éclairage intense.

DEC

flicker scintillement
papillotement
Fluctuation de la densité lumineuse de l'image attribuable à des défectuosités mécaniques de la caméra ou du projecteur.

INS

flick light   lampe-top
    Ampoule commandée de la régie et servant à transmettre
en cours d'émission un signal en studio.
                                INS

flies   cintres
    Partie supérieure du studio, au-dessus des décors.
                                INS

flip!   tournez!
                                passez!
    Commandement en studio ordonnant le changement des
cartes volantes.
                                MES
    V. aussi *change*

flip cards   cartes volantes
    Cartes, reliées ou non, servant d'illustrations aux diverses
parties d'une émission ou portant les mentions au générique.
Elles peuvent aussi servir d'aide-mémoire.
                            DEC   MES

flipper   tourniquet
    Dispositif de présentation du générique à deux volets
tournant autour d'un axe.
                            MES   EQU

flip stand   chevalet
    Pupitre portant les cartes-titres.
                                EQU

float   châssis mobile
floater
    Châssis de décor qu'on peut enlever facilement du
plateau.
                                DEC

flood   projecteur d'ambiance
floodlight   casserole (fam.)
scoop
broad (fam.)
    Appareil d'éclairage à large diffusion.

DEC

flood lighting   éclairage général
                             éclairage à lumière diffuse
    Éclairage général du plateau avec projecteurs à large diffusion. S'oppose à *spot lighting.*

DEC

floor crew   personnel de plateau
    Ensemble du personnel œuvrant sur le plateau : machinistes, éclairagistes, caméramans, etc.

GES   MET

floor light   projecteur au sol
cross-back light   traînée
    Appareil d'éclairage posé au sol pour combattre les ombres portées par les éléments de décors les uns sur les autres.

DEC

    V. aussi *strip light*

floor manager   régisseur
floor director   assistant réalisateur
production assistant   assistant de production
    Personne qui représente le réalisateur sur le plateau.

MET

floor monitor   témoin de plateau
                        écran-témoin de plateau
    Écran placé sur le plateau et qui permet aux participants de voir l'image captée par la caméra.

EQU

flutter   chevrotement
    Effet de distorsion causé par l'irrégularité du déroulement des bandes à l'enregistrement ou à la lecture (au-dessus de 10 à 20 Hz).

INS

flutter meter   indicateur de chevrotement
    Appareil qui sert à mesurer l'intensité de la distorsion appelée chevrotement.

EQU

fly system   machinerie des cintres
    Ensemble des câbles et poulies qui commandent les portants des décors ou les herses d'éclairage logés dans les cintres.

INS

FM
    Abréviation internationale de la modulation de fréquence.

INS

focus   foyer
    Point de convergence des rayons lumineux captés par la caméra.

EQU

focusing   mise au point
                                               mise au foyer
    Ajustement du système optique d'une caméra pour obtenir l'image la plus nette possible.

EQU

focusing knob   bouton de mise au point
    Bouton assurant le réglage de la mise au point.

EQU

focusing scoop projecteur à faisceaux variables
   Appareil d'éclairage dont le faisceau lumineux est orienté par un réflecteur.
DEC

fog machine générateur de brouillard
fog maker (M)
   Machine à produire du brouillard.
DEC

folding screen paravent
   Élément de décor constitué de deux châssis articulés et disposés en ligne brisée.
DEC
   V. aussi *two fold*

follow focus mise au point suivie
   Réglage manuel de la mise au point lorsque la distance varie entre la caméra et le sujet.
MES

follow shot travelling parallèle
travel shot
   Prise de vues où la caméra suit le déplacement des personnages.
MES

follow spot projecteur de poursuite
   Projecteur mobile sur son axe, dont le faisceau peut suivre les évolutions d'un acteur sur le plateau.
DEC

foot-candle bougie-pied
   Unité de mesure d'éclairage du système anglais qui représente l'éclairement maximal tiré d'une bougie à un pied de distance. Elle équivaut à 10,76 lux.
DEC

foreign correspondent   correspondant à l'étranger
Journaliste en poste à l'étranger pour le compte d'un réseau ou d'une station.
MET

format   formule
présentation
Structure matérielle d'une émission.
PRO

forum   tribune
Formule d'émission où un animateur dirige l'intervention d'un grand nombre de participants dans le débat d'une question d'intérêt public.
PRO
V. aussi *panel show*

frame (to)   cadrer
Action du caméraman qui délimite artistiquement le champ de sa prise de vues.
MES
V. aussi *block (to)*

frame!   cadrez!
Ordre donné au caméraman pour qu'il centre le sujet de sa prise de vues.
MES

framing   cadrage
Ajustement du champ de prise de vues de la caméra pour composer l'image d'un point de vue artistique.
MES
V. aussi *blocking, picture composition*

free-lance (adj.)   à la pige
Se dit du travail fait par un agent travaillant à son propre compte.
GES

free-lance (n.)   pigiste (fam.)
    Agent de la radiotélévision qui travaille à son compte.

                                  MET

free time period   temps d'antenne gratuit
    Temps accordé gratuitement sur les antennes à des partis
politiques ou des organismes de bienfaisance.

                                  PRO

frequency discount   rabais de fréquence
    Rabais consenti sur les tarifs publicitaires en raison de la
fréquence de passage d'une annonce.

                              GES   PRO

frequency modulation   modulation de fréquence
                                  (abr. FM)
    Mode de modulation de l'onde où l'amplitude demeure
constante mais où la fréquence varie.

                                  INS

fresnel spot   projecteur à lentille de Fresnel
                                  projecteur de Fresnel
                                  projecteur à échelon
                                  Fresnel (fam.) (n.m.)
    Projecteur muni d'une lentille dite de Fresnel.

                                  DEC

front leader   amorce initiale
head leader
start leader
    Bout de film ou de bande vierge servant à enfiler le pro-
jecteur ou le magnétophone.

                                  EQU

front projection   projection de face
     Mode usuel de projection d'une image à partir d'un projecteur placé en face d'un écran.

          EQU

frozen frame   plan figé
freeze frame
     Trucage qui s'obtient par la répétition d'une même image lors du montage, de façon à donner une impression d'immobilité.

          MES

frying noise   friture
     Bruits parasites continus qui rappellent le pétillement que produit la cuisson d'un corps gras, comme le bacon.

          INS

full shot   plan en pied
full-length shot   plan de demi-ensemble
     Plan qui situe les personnages dans un décor donné.

          MES
     V. aussi *medium long shot*

full-tape erase head   tête d'effacement général
     Tête qui permet de faire passer le courant d'effacement sur toute la largeur de la bande.

          EQU

further use   opérations hors antenne
     Utilisation des émissions déjà diffusées, à des fins étrangères à la radiotélévision : recherche universitaire, utilisation pédagogique, etc.

          GES

generating unit   groupe électrogène
generating set
generator
    Ensemble composé d'un moteur et d'un système dynamo-électrique qui transforme en courant électrique le travail du moteur pour alimenter les équipements de prises de vues.

EQU

giraffe boom   girafe (n.f.)
    Perche articulée servant au maniement des microphones.

EQU

give-away contest   jeu télévisé (gén.)
contest
    Émission où les participants prennent part à diverses épreuves dont les vainqueurs reçoivent des prix.

PRO

glare   reflet
    Effet lumineux parasite sur une surface lustrée ou dans un objectif.

DEC

glass shot décor sur verre
Technique de décoration où la scène est reproduite sur un panneau de verre placé devant la caméra et à travers lequel est captée la scène à reproduire.

DEC

gobo pare-lumière
nègre (fam.)
1° Drap ou écran noir qui sert à absorber les reflets lumineux parasites sur l'objectif de la caméra.

pare-son
2° Écran acoustique servant à couper la réverbération dans les studios.

INS
intercalaire (n.m.)
3° Élément de décor placé entre la caméra et la scène où se déroule l'action ou le spectacle.

cliché
décalque
4° Plaque ou carton dans lequel on a découpé un objet ou une figure et qu'on fixe à un projecteur afin de faire apparaître sur un drap ou un écran l'image lumineuse de l'objet représenté.

DEC

grainy film film granuleux
Film où apparaissent grossis des centaines de fois les petits grains d'halogénure d'argent.

INS

grand rights grands droits
Droits d'exécution publique des œuvres dramatico-musicales dont la représentation dure plus de trois minutes.

GES

graphic artist   graphiste
graphic designer
 Artiste (peintre, dessinateur, typographe, etc.) qui s'occupe d'arts graphiques et dont l'activité principale est orientée vers la publicité, l'industrie ou le commerce.
        DEC MET

graphic materials   graphismes (néol.)
 Produits réalisés par le graphiste : titres, cartes, graphiques, diagrammes, dessins, etc.
        DEC

graphics   graphisme
graphic design
 Application des procédés graphiques à l'illustration des émissions de télévision, au titrage des films, à la conception d'affiches publicitaires, etc.
        DEC

green light   voyant vert
preview light
camera light
 Signal lumineux actionné dès que l'image captée par la caméra est acheminée à l'antenne ou au pupitre d'enregistrement.
        EQU

green room   petit foyer
           foyer d'attente
 Pièce située entre la salle de maquillage et le studio où les artistes peuvent se détendre entre les séances de travail.
        INS

grey scale test card   mire des gris
 Tableau où sont représentées toutes les nuances de l'échelle des gris utilisée en télévision noir et blanc.
        EQU

grid   gril
gridiron
pipe grid
    Plancher à claire-voie situé dans les cintres et équipé pour suspendre les décors et certains appareils d'éclairage.
                        INS

gross rating point   cote brute
    Somme brute des cotes d'écoute mesurée à divers moments de l'horaire d'un réseau ou d'une station afin d'évaluer sommairement le nombre d'impressions produites par un message.
                    GES   PRO

ground row   terrain
    Élément de décor bas et allongé, servant à représenter un paysage ou des constructions dans le lointain.
                        DEC

ground wire   fil de masse
                                    fil de terre
    Fil qui relie un circuit à la terre ou à la masse.
                        INS

group listening   réception collective
group viewing
    Action de voir en groupe une émission.
                        PRO

guest artist   artiste invité
    Artiste qui ne fait pas régulièrement partie du groupe qui donne le spectacle.
                    GES   PRO

hairdresser   coiffeur
coiffeur-perruquier (FR)
Personne qui réalise les coiffures des comédiens.
MET

hair stylist   créateur de coiffures
Personne qui conçoit les coiffures pour une émission.
MET

hand-held microphone   microphone à main
hand mike
Microphone tenu dans la main.
EQU

hand-held television camera   caméra à l'épaule
caméra à poignée
caméra de reportage
Caméra légère portative que l'opérateur peut faire fonctionner en la portant sur son épaule.
EQU

hand props   accessoire de jeu
Accessoire que l'acteur manie lui-même ou emporte avec lui : cigarettes, nourriture, allumettes.
MES   DEC

handset combiné (n.m.)
Récepteur téléphonique.
EQU

headlines manchettes
Titres des nouvelles donnés au début des informations à la radio et à la télévision.
PRO

headphones casque
headset combiné micro-casque
cans (fam.)
Dispositif d'intercommunication doté d'écouteurs et d'un micro, qui coiffe la tête.
EQU

head shot gros plan de tête
gros plan-tête
Gros plan représentant la tête d'un personnage.
MES
V. aussi *close-up*

head tracking centrage des têtes
Mise en position des pistes par rapport aux têtes du magnétoscope.
EQU

heavy viewer téléspectateur assidu
Téléspectateur particulièrement fidèle au petit écran.
PRO

high angle shot   plongée
boom shot
bird's eye view
top shot
    Prise de vues où la caméra est placée plus haut que le sujet à filmer ou à téléviser, c'est-à-dire qu'elle est dirigée vers le bas par rapport à l'horizontale.

MES

high brow programming   programmation élitique
                            programmation intellectuelle
    Programmes visant un public d'esthètes ou d'intellectuels.

PRO

high key   éclairage intense
    Type d'éclairage où l'on utilise des lampes de forte intensité.

DEC

high-key light   lumière intense
    Lumière utilisée dans les éclairages à haute intensité.

DEC

highlights (of an opera)   principaux extraits
                            airs célèbres
                            grands airs
    On désigne par ce mot des morceaux choisis extraits d'une œuvre musicale qu'on ne veut pas présenter dans sa version intégrale.

PRO

hiss   sifflement
    Bruit parasite chuintant qui brouille la réception d'un signal.

INS

hitch-hike annonce de queue
hitch-hiker remorque
trailer
Annonce passant à la toute fin d'une émission commanditée.

PRO

hod pupitre
Plan incliné sur lequel on dépose les cartes-titres.

EQU

hooker (publicité écrite) réclame-annexe
Forme de publicité où le fabricant mentionne les conces-
sionnaires régionaux ou locaux de son produit.

PRO

hookup chaîne éphémère
subsidiary hookup chaîne temporaire
Raccordement temporaire de stations pour transmettre
une émission.

INS

horizontal wipe volet horizontal
rideau
Procédé de transition qui masque l'image de gauche à
droite ou vice versa.

MES

host présentateur
hôte
Animateur d'une émission de variétés.

MET

hot-seat interviewing   mise sur la sellette
Façon d'interviewer une personne en la poursuivant jusque dans ses derniers retranchements de façon à tirer d'elle ce qu'elle ne veut pas dire.

PRO

hue   nuance
Attribut de l'impression visuelle de lumière ou de couleur qui correspond aux désignations de couleurs: jaune, vert, mousse, mais excluant des termes tels que rose, vert pâle, bleu foncé.

INS

hum   ronflement
1° Bruit de fond émis par un haut-parleur.

effet de ronflement
2° Défectuosité de l'image qui se manifeste par des barres d'intensité lumineuse variable et dont la cause est la même que celle du ronflement sonore.

INS

idea man   concepteur
Celui dont le métier est de trouver des idées nouvelles pour une émission, une réclame, etc.

MET   PRO

image inversion   retournement de l'image
renversement de l'image
Trucage technique qui permet de renverser l'image télévisuelle.

MES

immediacy   instantanéité
Qualité d'un spectacle télévisuel qui donne l'impression de l'action saisie sur le vif.

PRO

impractical window   fenêtre non praticable
Fenêtre d'un décor qu'on ne peut ouvrir.

DEC

in-betweener   intervalliste
Dessinateur d'animation qui fait les dessins servant d'intervalles entre les dessins clés.

MET

incidental music   musique de scène
musique à programme
Musique originale utilisée pour souligner certains effets dramatiques.

MES

incident light   lumière incidente
Quantité de lumière qui tombe en un point donné.

DEC

V. aussi *stray light*

incoming feed   signal d'entrée
Courant porteur de sons ou d'images en provenance d'un point déterminé.

INS

incoming line   ligne d'entrée
incoming circuit   circuit d'entrée
Circuit porteur du signal d'entrée.

INS

independent station   station indépendante
non-network station
Station qui n'est affiliée à aucun réseau.

INS

in-depth interview   interview d'analyse
Interview qui cherche à aller au fond des choses.

MES   PRO

industrial (n.)   film industriel
Film ou bande produits par une entreprise selon la formule documentaire pour faire connaître les divers aspects de son exploitation.

PRO

informative (adj.)   informatif (adj.)
 Qui a le caractère de l'information, qui donne de l'information.
                          PRO

inker   dessinateur-traitiste
 Personne qui fait les dessins au trait dans l'animation.
                          MET

inky-dinky   microprojecteur
 Désignation commerciale d'un projecteur d'éclairage muni d'une lentille Fresnel, et dont la puissance est généralement inférieure à 200 watts.
                          DEC

inlay-overlay (sp.)   montage électronique (gén.)
 Trucage électronique qui permet de faire instantanément incrustations et surimpressions.
                          MES   INS
 V. aussi *electronic montage*

innermost recording groove   sillon terminal
 Dernier sillon d'un disque porteur de matière enregistrée.
                          INS

insert   gros plan d'objet
                                   plan de détail
 Gros plan qui n'a pas pour objet une figure humaine.
                          MES

insert (n.)   insert
cut-in (n.)
 Séquence filmée insérée dans une émission de télévision.
                          MES
 V. aussi *film clip*

inset (n.)   médaillon
    Image de petites dimensions incrustée dans une image plus grande.

INS   MES

in-setting   étalement des décors
    Technique de rangement de plusieurs séries de décors selon leur ordre d'utilisation sur le plateau.

DEC

institutional advertising   publicité de prestige
    Genre de publicité qui vise à améliorer l'image de marque d'une entreprise.

PRO

institutional broadcast   émission d'intérêt public
                               émission d'intérêt social
                                 émission d'intérêt civique
    Émission faisant connaître les institutions de bienfaisance et leurs œuvres.

PRO

intercom (system)   interphone
order wire system (GB)   réseau d'ordres (FR)
talk-back system
    Appareil de communication à l'intérieur du studio et de la salle de régie.

INS

intercom line   circuit d'interphone
    Ligne qui permet la conversation entre deux points.

INS

interference   parasites
    1° Toute forme d'énergie qui fait obstacle à la réception d'un signal utile.
    Obs.: On distingue *radiated interference* (PARASITES

ATMOSPHÉRIQUES) et *man made interference* (PARASITES INDUSTRIELS); les premiers sont attribuables à des perturbations atmosphériques, les seconds au fonctionnement de moteurs et d'appareils électriques.

interférence

2° Phénomène provoqué par deux oscillations de fréquences voisines, produisant des sifflements; empiètement du signal utile de deux émetteurs.

INS

interior intérieur (n.m.)
Décor représentant une scène d'intérieur.

DEC

interlude interlude (n.m.)
Court sujet destiné à faire patienter les téléspectateurs, en attendant une émission.

PRO

V. aussi *fill-in*

interview interview
Entrevue au cours de laquelle un journaliste de la presse écrite ou de la radiotélévision interroge une personne sur sa vie, ses projets, ses opinions, sur un événement d'actualité, etc.

Obs.: 1° La forme française *interviou* (ou *intervioue*) ne semble pas devoir passer dans l'usage.

2° On prononce *interview* avec *in* nasal comme dans *intervalle* et non pas *inn*terview à l'anglaise.

3° La prononciation *interviouver* du verbe *interviewer* semble plus fréquente que *interviouer*.

PRO

interview-size studio cabine d'interviews
Petit studio aménagé pour les interviews.
INS

interview show émission d'interviews
Émission composée d'interviews avec des personnalités.
PRO

investigative journalism journalisme d'enquête
Journalisme dont l'enquête est la source d'information.
PRO

i.p.s. po/s
inches per second pouces par seconde
Unité du système anglais pour indiquer la vitesse de déroulement d'une bande magnétique.
INS

iris wipe volet en iris
Procédé de transition qui se développe à partir d'un cercle qui va s'élargissant ou inversement.
MES

jack   équerre
Cadre triangulaire qui sert à appuyer un châssis à l'arrière.
Obs. :   La béquille remplit la même fonction mais elle est
          constituée d'une simple barre oblique qui joint le
          châssis au sol. La potence a la forme d'un L dont
          la partie verticale repose le long du châssis.

                              DEC

jamming   brouillage
Trouble dans la réception d'un signal de radio ou de télévision attribuable à une confusion volontaire ou involontaire
de signaux voisins.

                              INS

jeep monitor   témoin-commentateur
Écran de contrôle qui permet au commentateur d'un
match ou d'une compétition de voir l'image qui passe à l'antenne et que son commentaire doit compléter.

                              EQU

jingle   ritournelle publicitaire
Ritournelle dont la mélodie est généralement empruntée
à un refrain populaire et qui vante un produit ou un service à
des fins publicitaires.

                              PRO

jitter   sautillement
Déplacement désordonné de l'image par sauts saccadés.
INS

juicer (fam.)   électricien
électro
Personne responsable des raccordements et de l'installation des appareils d'éclairage.
MET

jump cut   ellipse
1° Raccord de deux séquences télévisuelles qui ne sont pas strictement consécutives dans le temps, mais qu'on accole néanmoins en supprimant l'action écoulée dans l'intervalle.
raccord syncopé / arbitraire
coupure syncopée / arbitraire
2° À Radio-Canada, cette expression désigne un raccord boîteux de deux séquences dans un film ou une émission de télévision. Il s'agit tantôt d'une erreur ou d'une négligence de montage, tantôt d'un effet voulu.
Par exemple, on voit, à la fin d'une séquence, un personnage marcher vers la droite ; si, au début de la séquence suivante, on le voit marcher vers la gauche alors qu'il n'est pas censé avoir changé de direction, nous sommes en présence d'un *jump cut.*
MES

key
Caractéristique dominante de l'éclairage d'une scène.

tonalité

DEC

keyed insertion
inlay
inset
1° Mode d'intégration de deux signaux vidéo dans la même image.

2° Son résultat.

incrustation

médaillon
fenêtre

INS   MES

keyer
Appareil commutateur qui sert à faire les combinaisons d'images par incrustation.

V. aussi *matting amplifier*

incrustateur

INS

keying
Trucage électronique qui permet de superposer ou de juxtaposer des images à l'écran.

incrustation

INS   MES

key light source principale d'éclairage
Source lumineuse de base à laquelle s'ajoutent les éléments secondaires : variations d'intensité, zones d'ombres, sources ponctuelles, etc.

DEC

keystone mouchoir
Petite pièce en contreplaqué collée ou clouée de façon à relier la traverse au montant du châssis.

DEC

kicker light projecteur de décollement
Projecteur latéral utilisé pour concentrer l'éclairage sur un point donné à partir d'une source lumineuse relativement éloignée.

DEC

kinerecord (to) cinégraphier
Action d'enregistrer au cinescope une émission de télévision.

INS PRO

kinerecording cinégraphie
kine cinégramme
kinescope recording
Enregistrement sur film d'une émission de télévision à partir du tube cathodique. Action et résultat.

PRO

kinescope cinescope
1° Nom donné à l'oscillographe cathodique utilisé comme récepteur de télévision ;
2° Caméra cinématographique qui enregistre les images à partir d'un tube cathodique.

EQU

lanyard attachment　　　　　cordon
neck cord assembly
　　Fil permettant d'attacher le micro au cou du parleur.

　　　　　　　　　　　　EQU

lapel-mike　　　　　　　micro-boutonnière
　　Microphone attaché à la boutonnière d'un vêtement.

　　　　　　　　　　　　EQU

lash　　　　　　　　　　fil de serrage
　　Fil dont on se sert pour réunir deux châssis.

　　　　　　　　　　　　DEC

lash cleat　　　　　　　sauterelle
　　Ferrure par où passe le fil de serrage qui réunit deux
châssis.

　　　　　　　　　　　　DEC

lash eye　　　　　　　　chas
　　Trou servant à fixer le fil de serrage qui réunit deux
châssis.

　　　　　　　　　　　　DEC

laughmeter　　　　　　　hilariomètre
　　Instrument servant à mesurer l'intensité du rire dans une
salle.

　　　　　　　　　　　　EQU

lavaliere microphone   micro-cravate
neck mike   micro-sautoir
    Microphone suspendu au cou du parleur.

         EQU

layout designer   dessinateur de fonds
background designer
    Dessinateur du décor de fond pour dessins animés. En France cette fonction est remplie par l'assistant animateur.

         MET   PRO

lay-over fee   cachet d'attente
    Cachet versé à des comédiens qu'on veut faire intervenir en cas de besoin seulement.

         GES

leader   amorce
    Longueur de pellicule vierge précédant la pellicule impressionnée.

         PRO   MES

lead-in program   émission-locomotive
         (fam. locomotive)
         émission-tremplin
    Émission populaire qui sert à constituer un auditoire pour les émissions suivantes.

         PRO

lead-out spiral   colimaçon
    Sillon vierge qui se déroule en spirale à la fin d'un disque et qui aboutit à un sillon fermé.

         INS

lens turret   tourelle
    Plaque rotative de la caméra portant les divers objectifs.

         EQU

license fee   redevance
taxe
Droits perçus dans certains pays sur les récepteurs pour financer la radiotélévision.

GES

license to perform   licence
autorisation
Permis accordé en vue de l'utilisation lucrative d'une œuvre de l'esprit.

GES

light cue   top-lumière
Signal commandant la modification d'un éclairage.

DEC   MES

light drama   dramatique légère
Émission de forme dramatique, mais dont le caractère tient plutôt de la comédie légère.

PRO

lighting catwalk   passerelle d'éclairage
Galerie des cintres après laquelle on suspend des dispositifs d'éclairage.

INS

lighting console   pupitre d'éclairage
lighting control board jeu d'orgue
light bridge
Pupitre qui permet de faire le réglage des éclairages en fonction des besoins de l'émission.

INS

lighting director   éclairagiste
lighting engineer   chef-électricien (FR)
lighting technician
     Technicien responsable de l'éclairage d'une émission.
                 MET   DEC

light plot   conduite d'éclairage
     Scénario avec indications concernant les éclairages à produire.
                 DEC

light viewer   téléspectateur occasionnel
     Téléspectateur qui fait un usage restreint du petit écran.
                 PRO

limbo   fond neutre
     Rideau noir servant à la mise en relief d'un produit, d'un objet ou d'un personnage.
                 DEC

limbo shot   plan sur fond neutre
     Prise de vues d'un objet placé sur un fond neutre.
                 DEC   MES

line monitor   témoin d'antenne
air monitor
master monitor
     Écran de contrôle reproduisant l'émission qui passe à l'antenne.
                 EQU

line rehearsal   lecture collective
read through
     Première lecture d'un texte dramatique faite par les comédiens réunis.
                 MES

line-up conducteur
Document comportant l'enchaînement des nouvelles diffusées en direct, sur film, sur bandes magnétoscopiques, ainsi que des topos et autres articles.

MES PRO

V. aussi *dope-sheet, cue sheet*

lining-up mise en page
Action d'établir le conducteur d'une émission de nouvelles.

PRO

lip sync synchronisation labiale
synchro
Mode de post-synchronisation ou doublage qui consiste à faire concorder les paroles de la version doublée avec les mouvements de lèvres de la version originale.

MES

listening period temps d'antenne
heures d'antenne
1° Espace de temps durant lequel la radio ou la télévision diffusent leurs émissions.

heures d'écoute
2° Temps passé à l'écoute de la télévision.

PRO

live action réel (n.m.)
Procédé permettant d'allier des personnages ou décors réels à des dessins animés.

PRO

live broadcasting direct (n.m.)
Action de diffuser directement une émission sans recourir à un support d'enregistrement.

PRO

live hand change changement à vue
 Changement de décors en présence des caméras montrant surtout les mains des machinistes.
       MES DEC

live pick-up retransmission
 Émission transmettant directement un événement qui se déroule hors des studios.
         PRO
 V. aussi *remote, pick-up*

live program émission en direct
 Émission passant directement à l'antenne sans l'intermédiaire d'un support d'enregistrement.
       PRO

live programming programmation en direct
 Action de programmer des émissions en direct.
       PRO

live studio studio réverbérant
 Studio conçu de façon à permettre une grande réverbération des ondes sonores.
       INS

location (on) en extérieur
remote (adj.)
 Se dit des opérations de tournage ou de diffusion hors des studios.
       MES

location extérieur (n.m.)
 Lieu réel de déroulement d'une action où l'on tourne ou enregistre une émission.
       MES
 V. aussi *exterior*

lock (to)   caler
1° Action de bloquer certains mécanismes d'appareils portatifs (magnétoscopes, magnétophones, etc.), qu'on doit transporter ou déplacer.
              verrouiller
2° Action d'assurer le synchronisme entre soit des appareils, soit des signaux, soit les deux, en les soumettant aux mêmes impulsions électriques ou électroniques.
           EQU

log sheet   registre des émissions
log   livre de bord
Feuille sur laquelle on inscrit en détail les éléments qui sont passés à l'antenne au cours d'une période déterminée.
          PRO   GES
V. aussi *program log*

log tape   bande-témoin
               bandes-témoins (pl.)
Enregistrement sur bande de tout ce qui passe à l'antenne d'une station pour permettre à l'autorité compétente de contrôler si la station respecte les conditions de son permis d'exploitation.
          PRO   GES

loose-pin hinge   couplet
Genre de charnière dont la goupille se met ou s'enlève à volonté.
          DEC

loose shot   cadrage flottant
loose framing   cadrage lointain
Plan où le sujet principal de l'image est entouré de beaucoup d'espace.
          MES

lounge salle de repos
Salle où les artistes peuvent se reposer entre leurs af-
fectations.

INS

low angle shot contre-plongée
worm's eye view
ground angle shot
Prise de vues où la caméra est placée plus bas que le
sujet à filmer, c'est-à-dire qu'elle est dirigée vers le haut par
rapport à l'horizontale.

MES

low key éclairage faible
Genre d'éclairage où les zones d'ombres dominent sur les
zones claires.

DEC

low-key light demi-jour (néol.)
Lumière tamisée visant à produire un éclairage de faible
intensité.

DEC

low power relay émetteur réseau de faible
transmitter puissance
abr. : **L.P.R.T.** abr. : E.R.F.P.
En radio, station constituée par un émetteur de faible
puissance, intégré à un réseau et télécommandé. Les récepteurs domestiques peuvent capter les émissions relayées par
cet émetteur.

INS

luminance luminance
Quantité de lumière émise par centimètre carré de la
surface éclairée, mesurée comme intensité lumineuse.

DEC

luminosity   luminosité
    Sensation visuelle subjective de brillance de la lumière ou de la couleur.

DEC

lux   lux
    Unité d'éclairement qui équivaut au flux lumineux de 1 lumen par m^2.

DEC

lyricist   parolier
    Celui qui compose les paroles d'une chanson.

MET

lyrics   paroles
    Paroles chantées sur une musique.

MES

magazine   chargeur
                                magasin (anglicisme)
Partie détachable de la caméra qui contient la pellicule destinée à la prise de vues cinématographiques.
                         EQU

magazine-type program   magazine
Genre d'émission traitant dans un même programme de sujets divers plus ou moins reliés à l'actualité.
                         PRO

magnetic stripe   piste couchée
Piste sonore d'un film enregistrée par procédé magnétique.
                         INS

magnetic tape   bande magnétique
                                ruban magnétique
Support d'enregistrement constitué d'un ruban de matière plastique enduit d'oxyde de fer sur l'une de ses faces.
                         EQU

maintenance   entretien
Ensemble des opérations nécessaires au bon fonctionnement d'une installation de radiotélévision.
                         INS
V. aussi *technical maintenance*

make-up artist maquilleur
Personne responsable du maquillage des participants à une émission.
MET

make-up room salle de maquillage
Local où l'on fait des maquillages.
INS

man-made interference parasites industriels
Perturbations des signaux radioélectriques engendrées par le fonctionnement d'appareils électriques.
INS

married sound son associé (à l'image)
Son qui existe sur le même support que l'image.
INS

mask cache (n.m.)
Carton servant à réaliser des volets optiques pour les transitions.
MES   EQU

masking tape ruban-cache
Ruban autocollant utilisé notamment en décoration pour masquer les surfaces qui ne doivent pas être peintes.
DEC

mass communications communications de masse
Techniques de diffusion de l'information qui s'adressent à un très vaste public.
PRO

mass media médias (n.m. pl.)
Supports de diffusion des communications de masse.
PRO

master   bande génératrice
                              bande étalon
    Copie finale d'une émission sur bande magnétoscopique qui doit passer sur les ondes.
                            GES   PRO

master antenna   antenne (réceptrice) commune
                              antenne collective (FR)
    Antenne réceptrice qui sert à capter les signaux de télévision pour tous les récepteurs d'un hôtel, d'un hôpital, d'un immeuble groupant plusieurs logements, etc.
                     INS
    V. aussi *community antenna*

master control   régie centrale (CAN)
                              régie finale (FR)
    Point d'acheminement des signaux de radiotélévision avant leur passage à l'antenne.
                     INS

master control panel   pupitre de la régie finale (FR)
                              pupitre de la régie centrale
                              (CAN)
    Ensemble des dispositifs de commande des signaux groupés à la régie finale.
                     INS

master disc   disque père
                              négatif (n.m.)
    Empreinte négative obtenue par galvanoplastie, utilisée pour la fabrication des « mères »
                     EQU

master monitor   récepteur de contrôle final
on-air monitor
    Écran-témoin de la régie finale.
                     INS   EQU

master shot   plan général
Plan qui inaugure une séquence dont les diverses parties détaillent les éléments de ce plan.
                                                    MES
V. aussi *establishing shot*

master station   station maîtresse
                                      station de base (CAN)
Station principale d'un réseau ou d'une chaîne.
                                                    INS

master tape   bande génératrice
                                      bande étalon
Bande magnétique comprenant le contenu intégral d'un enregistrement destiné à être reproduit ultérieurement sur disques commerciaux.
                                                    INS

match dissolve   fondu analogique
Fondu qui s'opère par la juxtaposition de deux plans qui offrent entre eux des analogies de composition.
                                                    MES

matte shot   plan détouré
1° Image où, par procédé optique, on isole un élément en effaçant les autres.
2° Image où on réalise le même effet par effacement électronique.
                                                    MES

matting amplifier   truqueur électronique
electronic inset   incrusteur
montage amplifier
Dispositif de trucage électronique qui permet la super-position et la combinaison d'images télévisuelles.
                                              EQU   INS
V. aussi *keyer*

mechanical (reproduction)   droits de reproduction
  rights   mécanique
    Somme d'argent que doit verser celui qui utilise un enregistrement à des fins autres que celles pour lesquelles il a été fait.
    Obs. :   Couramment, on peut dire DROITS MÉCANIQUES ou DROITS DE REPRODUCTION.
                                            GES

media buyer   acheteur-médias
    Dans une agence de publicité, personne préposée à l'achat de l'espace ou du temps dans les médias «en exécution de la stratégie publicitaire établie par le chef de publicité».
                                      GES   PRO

media director   tacticien (publicitaire)
    Personne qui choisit les supports publicitaires en fonction de la clientèle-cible, des crédits disponibles et d'autres facteurs susceptibles d'influer sur le succès d'une campagne de publicité.
                                      PRO

medium   média (n.m.sing.)
    Technique particulière de diffusion de l'information de masse.
                                      PRO

medium close-up   premier plan
                                 plan rapproché
                                 plan-buste
    Image qui montre les personnages en buste.
                                      MES
    V. aussi *bust shot, waist shot*

medium long shot plan demi-ensemble
Image qui situe les personnages dans un décor.
MES
V. aussi *full shot*

medium shot plan moyen
Image où les personnages sont montrés en pied, mais où le décor n'a plus qu'une importance très secondaire.
MES

microfilm library filmothèque
Collection de microfilms conservés à titre d'archives.
INS

microphone outlet prise-micro
Sortie qui permet de brancher un micro.
INS

microphonics effet microphonique
Altération du son ou de l'image attribuable à une défectuosité mécanique.
INS

microwave micro-onde
Onde ultra-courte servant, entre autres usages, au transport du signal télévision.
INS

microwave link relais hertzien
Liaison par voie hertzienne entre deux points d'émission.
INS

microwave relay relais hertzien
microwave repeater
Élément émetteur-récepteur qui constitue la maille d'un réseau hertzien. Il reçoit le signal, l'amplifie et le réachemine vers le poste suivant.
INS

microwave tower   phare hertzien
microwave antenna
 Mât où est placé le réflecteur parabolique et le guide d'ondes dans un relais hertzien.
      INS

mike boom   perche-micro
 Perche où l'on suspend un microphone.
      EQU

mirror shot   plan-miroir
 Image réalisée à l'aide d'un miroir légèrement oblique placé à côté du sujet à photographier.
      MES

mix   mélange
mixing   mixage
 Action de combiner sur une même piste des signaux sonores provenant de sources diverses.
      MES
 V. aussi *dubbing*

mixing bus   omnibus de mélange
      voie de mélange
 Dans un pupitre général de communication, série de clés servant à fusionner les sources sonores diverses.
      INS

mixing panel   pupitre de mélange
mixer   pupitre de mixage
 Instrument qui permet la fusion de plusieurs sources sonores.
      INS

mobile camera   caméra autonome
wild camera
      Caméra de télévision dotée d'une antenne émettrice qui lui donne, dans un rayon d'action précis, une complète autonomie.
EQU
     V. aussi *wireless camera*

mobile control unit   régie mobile
      Petite régie transportable utilisée pour les extérieurs.
INS

mobile unit   car de reportage
      Régie technique ambulante servant aux reportages.
      Obs.: Si, au car de reportage proprement dit, s'ajoutent un car de matériel, un car d'éclairage, une remorque pour le petit matériel, etc., on dit alors CARAVANE DE REPORTAGE.
EQU

mobile unit fleet   parc des cars
mobile fleet
      Ensemble des cars de reportage que possède une entreprise de radiotélévision.
EQU

mobile videotape   magnétoscope mobile
      Équipement mobile pour l'enregistrement magnétoscopique.
EQU

mock-up   reconstitution
      Décor représentant un lieu connu et reconstitué en studio.
DEC

model   mannequin
Personne faisant l'illustration vivante de l'utilisation d'un service ou d'un produit.
MET

modeling light   éclairage à relief
Éclairage latéral servant à mettre en relief certains éléments de décor.
DEC

model set   ·   maquette
Reproduction du décor à échelle réduite.
DEC

moderator   animateur
Celui qui anime un jeu ou un débat.
MET
V. aussi *emcee, quiz master*

monitor   récepteur de contrôle (gén.)
                         écran de contrôle (sp.)
                         écran-témoin
                         témoin (fam.)
Appareil servant à vérifier ou à observer la qualité du son ou de l'image d'une émission.
EQU

monitor (to)   visionner
screen (to)
Regarder une émission ou une partie d'émission à des fins techniques ou de contrôle.
MES   PRO

monitoring   visionnement
screening
Action de regarder une émission ou un film à des fins techniques ou de contrôle.
MES   PRO

monochrome (adj.)   monochrome
Se dit de la télévision ou du cinéma en noir et blanc.
          INS

mood music   musique d'atmosphère
          musique d'évocation
   Musique qui cherche à créer une atmosphère, à susciter des émotions.
          MES
   V. aussi *background music*

morning man   animateur matinal
          matinier (n.m.) (adjectif vieilli
            que l'on pourrait reprendre
            et substantiver).
   Terme d'argot de métier pour désigner un animateur des émissions du matin.
          MET

motion picture camera   ciné-caméra
          caméra-film
   Caméra pour prises de vues cinématographiques.
          EQU

muffled sound   son étouffé
   Son tronqué par suite d'une imperfection ou d'une défectuosité de l'équipement.
          INS

multiple image   image composite
   Image de télévision ou de film provenant de plus de deux sources différentes, chacune occupant une partie de l'écran.
          MES
   V. aussi *composite shot, split screen*

musical background fond musical
décor musical
Illustration musicale d'une émission.

MES

music(al) bridge enchaînement musical
transition musicale
Extrait musical assurant la liaison entre deux parties d'émission.

MES

musical director directeur musical
Personne qui assiste le réalisateur pour la partie musicale d'une émission.

MET

musical performer exécutant
Musicien qui se produit à une émission.

MES

musical program émission musicale
Émission composée d'œuvres musicales.

PRO

musical theme indicatif musical
Pièce de musique qui introduit une émission.

MES PRO

music copyright clearance affranchissement des œuvres
musicales
Opération qui consiste à obtenir l'autorisation de jouer une œuvre musicale sur les ondes.

GES

music library musicothèque
Lieu où l'on range et conserve la musique écrite : partitions, transpositions, etc.

INS

music license fees   droits musicaux
Terme générique s'appliquant à tous les droits à verser soit pour exécuter, soit pour reproduire ou faire jouer une œuvre musicale.

Obs.: L'expression «droits musicaux» est un terme général qui recouvre les «droits d'auteur» versés à un compositeur, les «droits d'exécution publique» pour l'exécution directe d'une œuvre musicale devant un auditoire, les «droits de reproduction mécanique», versés pour faire jouer des enregistrements sur disques, bandes, etc.
GES
V. aussi *music rights*

music rights   droits musicaux
music clearance
Permission accordée, en retour du versement d'une somme prescrite, de diffuser une œuvre musicale.
GES
V. aussi *music license fees*

mystery   émission policière (gén.)
Émission à intrigue policière centrée sur une énigme qui ne se dénoue qu'à la fin de l'émission.
PRO
V. aussi *crime drama, detective story*

natural light   lumière du jour
sunlight
daylight
    Ondes lumineuses fournies par le soleil.

                                DEC

neck pad   nuquière
    Coussinet de protection dans lequel passe la courroie de soutien d'une caméra ou d'un magnétophone portatifs et qu'on porte sur la nuque.

                                  EQU

needle time   temps de lecture
    Durée d'utilisation d'un extrait musical enregistré sur disque ou durée réelle d'un tour de disque.

                                  MES

neighbouring rights   droits voisins
    Ensemble des droits acquis par les collaborateurs de l'auteur d'une émission: comédiens, musiciens, graphistes, etc.

                                  GES

network   réseau
1° Ensemble des installations matérielles qui servent à la diffusion d'un même programme.
chaîne
2° Organisation permettant de diffuser le même programme à partir de plusieurs stations.
INS
V. aussi *channel*

network coverage   rayonnement d'un réseau
Aire de rayonnement d'un réseau.
INS

network feed   signal-réseau
relais-réseau
Programme du réseau acheminé vers les stations émettrices.
INS

network identification   indicatif-réseau
Symbole identifiant un réseau de télévision.
GES   INS

network operation   exploitation du réseau
Ensemble des activités exigées pour assurer le fonctionnement d'un réseau de radiotélévision.
GES

network option time   période de priorité-réseau
Heures où les émissions de réseau ont priorité sur les émissions locales.
PRO   GES

network time   période-réseau
Heures de diffusion où les stations transmettent le programme du réseau.
PRO   GES

news
nouvelles
informations
Renseignements sur les événements de l'actualité communiqués au public.
PRO

news bulletin
bulletin d'informations
Brèves nouvelles réunies dans un bloc de courte durée.
PRO

newscast
journal télévisé
téléjournal (CAN)
Ensemble de nouvelles présentées selon un certain ordre de façon à faire un tout.
PRO
V. aussi *telenews*

news editor
rédacteur de nouvelles
Journaliste qui rédige des informations à partir des textes de dépêches fournis par des agences.
MET

news gathering
collecte de l'information
Technique pour aller à la chasse des nouvelles.
PRO

newsreel
actualités filmées
news film
bande d'actualités
Sujets courts filmés à cause de leur rapport à l'actualité.
PRO
V. aussi *film news*

newsroom
salle des nouvelles
salle de rédaction
Salle où travaillent les journalistes.
INS

night duty officer permanencier de nuit
Personne qui assure la permanence la nuit dans une station ou un établissement de radiotélévision.
MET

nit nit (n.m.)
Luminance d'une surface émettant 1 candela par m².
DEC

nominate (to) sélectionner
Désigner une émission en vue de sa participation à une compétition ou un concours.
PRO

nominee finaliste
Personne qui fait l'objet d'une présélection visant à retenir un certain nombre de candidats parmi lesquels le vainqueur sera choisi.
PRO

non-broadcast right droit d'utilisation hors antenne
Droit à verser pour utiliser une émission à des fins autres que la diffusion radiotélévisée.
GES

non-professional actor comédien amateur
1° Personne qui s'adonne à l'art dramatique d'une façon non professionnelle.
acteur naturel
nature (fam.)
2° Personne qui remplit un rôle dramatique sans avoir jamais reçu de formation à cette fin.
MES

non-stop program émission continue
Émission qui se déroule sans aucune interruption.
PRO

non-verbal cue top non verbal (gén.)
top visuel (sp.)
top sonore (sp.)
Signal utilisé dans le domaine de la radiotélévision sans recours à la parole.

MES

notice board tableau d'affichage
Tableau réservé à l'affichage des avis destinés au personnel de production.

INS

objective camera   caméra objective
Caméra qui capte simplement une scène sans aucun artifice esthétique.

MES

off-air (adj.)   d'antenne
Désignation d'un circuit ou d'un appareil de contrôle indiquant qu'il reçoit le signal d'un émetteur.

INS

off-air pick-up   réception directe
Action de capter directement le signal d'un émetteur pour le retransmettre.

INS

off-air recording   enregistrement d'antenne
Enregistrement d'un signal capté directement d'un émetteur.

GES   INS

off camera   hors champ
off screen
Se dit d'un acteur qui dit un texte hors du champ de la caméra; se dit aussi d'un bruit produit dans les même conditions.

MES

V. aussi *voice over*

off mike   hors champ
   Se dit d'un acteur qui parle hors du champ de prise d'un micro.
                                MES

off-peak period   heures creuses
   Heures de faible écoute.
                                PRO

off-the-cuff shooting   tournage improvisé
   Tournage réalisé sur les lieux de l'action, sans préparation ni planification.
                                MES

on air   en ondes
                               antenne
   Indication d'affichage attestant qu'une production de
radio ou de télévision est en cours.
                                INS

on-air promotion   autopublicité
   Publicité faite à l'antenne par une station ou un réseau
pour ses propres émissions.
                                PRO   GES

on camera   à l'image
                               à la caméra
   Se dit d'un acteur ou d'une scène captés par la caméra.
                                MES

one liner   laconiste
   Artiste comique particulièrement apte à formuler ses
plaisanteries en peu de mots.
                                MET

one man show   spectacle-solo
one woman show
     Spectacle de variétés axé sur une seule vedette.

                    PRO   MES

one-way vision mirror   miroir argus
                                miroir diaphane
                                miroir semi-transparent
     Miroir composé de deux glaces polies dont l'une est argentée par un procédé qui lui laisse une certaine transparence et dont l'autre sert à la protection de l'argenture.

                    INS

on location   en extérieur
                                en décors naturels
     Se dit d'un mode de tournage ou d'enregistrement d'une émission hors des studios.

                    MES

on mike   en champ
     Se dit de la voix lorsqu'elle est captée dans le champ de prise d'un micro.

                    MES

on-off   marche-arrêt
     1° Indications pour la mise en marche ou l'arrêt d'une machine ou d'une pièce d'équipement.
                              en circuit (EC)
                              hors circuit (HC)
     2° Indications pour le raccordement ou le débranchage d'un circuit.

                    INS   EQU

on spec   non commandé
     Se dit d'une œuvre qu'un auteur soumet à un organisme de diffusion dans l'espoir qu'elle sera agréée.

                    GES

on-the-air (loc. adj.) en cours d'émission
Se dit d'une opération qui se déroule en cours d'enregistrement ou de diffusion.
MES

opaque projector épiscope
balop (fam.)
Projecteur d'images à support opaque.
EQU

opaquer gouachiste
Personne qui, dans le dessin d'animation, fait le remplissage des dessins au trait.
MET

opening billboard générique de tête
Titres et graphismes présentant l'émission.
GES MES
V. aussi *billboard*

opening signature présentation commerciale
opening sig
opening billboard
Mention du commanditaire à l'ouverture de l'émission.
GES MES

open-line broadcast
V. *phone-in program*

operation (in) en service
Se dit d'une station et d'un réseau qui assure un service d'émissions.
INS GES

operator opérateur
Technicien chargé de faire fonctionner certains appareils électroniques.
MET

opinion survey sondage d'opinion
Méthode d'enquête pour connaître l'opinion du public sur certaines questions.

PRO

optical printer tireuse optique
Appareil qui permet de réaliser optiquement les transitions et les trucages.

EQU

optical sound track piste optique
Trame sonore enregistrée par procédé optique.

MES   INS

optical wipe volet optique
Procédé de transition réalisé par la tireuse optique.

MES

originate (to) provenir
Le fait pour une émission de réseau d'émaner d'un point donné de ce réseau.

GES   INS

origination point de source
original broadcasting point provenance
Lieu d'où provient une émission passant au réseau.

INS   GES

outgoing line ligne de sortie
Circuit qui achemine un signal hors d'un point de réception donné.

INS

outline synopsis (n.m.)
sommaire
Résumé d'une émission.

PRO

V. aussi *synopsis*

outside duty   mission
ordre de mission
Affectation à une tâche hors de son lieu habituel de travail.
GES

over (adj.)   excédant (adj.)
Se dit d'une émission dont la durée excède le temps imparti.
PRO   GES

overexposed (adj.)   sur-utilisé (adj.)
Se dit d'un artiste qui se produit trop souvent à la radio-télévision.
PRO

overhead projector   rétroprojecteur
Appareil qui permet de projeter à la fois par transparence et par réflexion des images fixées sur support transparent.
EQU

overrun (to)   déborder
excéder
Le fait pour une émission de dépasser le temps qui lui a été imparti.
GES   PRO

overscale payment   cachet excédentaire
Portion du cachet que touche l'artiste en plus du cachet minimal prévu par les conventions.
GES

oversize typewriter   mégatype
teletranscript
Machine à écrire à très gros caractères servant à la transcription des textes pour aide-mémoire.
EQU

owned and operated station   station de base
(Radio-Canada)

Station dont le propriétaire assure également l'exploitation.

INS   GES

pacing   rythme
    Allure du déroulement d'une émission.
                         MES

pack shot   plan de marque (CAN)
                       plan-paquet (FR)
    En publicité, plan présentant un produit de façon avantageuse en identifiant bien sa marque.
                         PRO

padding   étoffement
    Éléments ajoutés à une émission lorsqu'elle n'atteint pas la durée prévue.
                         MES

painter   peintre de décors
scenic painter
    Artiste spécialisé dans la peinture des décors.
                   DEC   MET

pan   panoramique (n.m.)
pan shot   (horizontal)
                      pano (fam.)
    Prise de vues où la caméra pivote sur son axe à la manière d'un spectateur qui remuerait la tête de gauche à droite ou de droite à gauche.
                         MES

pan (to) panoramiquer
Effectuer un mouvement de prise de vues en déplaçant la caméra sur son axe.

MES

pancake make-up fond de teint compact
Préparation en pâge que l'on applique sur le visage et le cou pour obtenir un teint égal.

DEC

pan-down (n.) panoramique (vertical)
descendant
vertical bas
Mouvement vertical de la caméra, de haut en bas sur son axe.

MES

panel show tribune
discussion show
Émission où quatre ou cinq experts sont appelés à discuter entre eux d'une question.

PRO

V. aussi *forum*

panelist expert
Participant d'une tribune.

MES

pan-left panoramique gauche
pano gauche
Mouvement horizontal de la caméra, de droite à gauche sur son axe.

MES

panning handle levier de manœuvre
Bras permettant de faire panoramiquer la caméra.

EQU

panning head   tête panoramique
pan head   tête basculante
tilt head
    Support qui permet de faire pivoter la caméra.

EQU

pan-right   panoramique droit
                                   pano droit
    Mouvement horizontal de la caméra, de gauche à droite sur son axe.

MES

pan-up (n.)   panoramique (vertical)
                                   ascendant
                                   vertical haut
    Mouvement vertical de la caméra, de bas en haut sur son axe.

MES

part   unité
    Espace occupé par un message publicitaire à l'intérieur d'un créneau.

PRO

patch (to)   raccorder
                                   brancher
    Action d'effectuer les raccordements nécessaires à l'acheminement d'un signal vers une destination donnée.

INS

patch board   tableau de raccordement
    Tableau où l'on effectue le raccordement des divers circuits.

INS

patch cord   cordon de raccordement
    Cordon servant à effectuer des raccordements sur un panneau de distribution ou sur une réglette de jacks.
                            INS

pay television   télévision payante
pay TV
pay-as-you-go TV
toll TV
    Mode de réception de la télévision où le téléspectateur doit, pour recevoir les émissions, insérer des pièces de monnaie dans un dispositif intégré à son téléviseur.
                            GES
    V. aussi *subscription TV*

peak listening period   heures de pointe-radio
    Heures où l'écoute de la radio est la plus intense.
                  PRO   GES

peak viewing period   heures de pointe-télévision
    Heures où l'écoute de la télévision est la plus intense.
                  PRO   GES

perform (to)   se produire
    1° Action d'un artiste qui interprète une œuvre ou qui fait son numéro devant le public.
                  interpréter
    2° Action de rendre une œuvre dramatique ou musicale.
                  MES

performance   exécution
1°   Interprétation d'une œuvre musicale.
                        représentation
2°   Interprétation d'une œuvre dramatique.
                        prestation (jur.)
                        interprétation
3°   Action du comédien qui remplit un rôle.
                        GES

performer   interprète (musique et art
                        dramatique)
                        exécutant (musique)
                        artiste (gén.)
Artiste qui participe à une émission.
                        GES   MES
V. aussi *artist*

performing arts   arts du spectacle
                        arts d'interprétation
   Ensemble des arts qui appartiennent au domaine du spectacle.
                        GES

performing rights   droits de représentation et
                        d'exécution
   Droits à verser pour présenter ou faire exécuter une œuvre.
                        GES

performing rights society   organisme de perception
                        des droits

                        société de perception
                        des droits
   Organisme chargé de percevoir les droits découlant de la reproduction des œuvres artistiques.
                        GES

permanent recording   enregistrement durable
Enregistrement susceptible de multiples utilisations.
MES

permanent set   décor permanent
standing set
Décor servant à plusieurs reprises dans une série.
DEC

phone-in program   tribune téléphonique
hot line
open line
Émission où il y a intervention du public par communication téléphonique.
PRO

photo flood   lampe survoltée
Ampoule électrique dont la tension d'utilisation est inférieure à la tension du secteur, ce qui augmente son intensité.
DEC

photographic double   double de figuration
Personne qui a à peu près la même stature que la vedette et qui remplace celle-ci dans certaines scènes de simple figuration.
MET

photomural background   murale photographique
                        photo-murale
Agrandissement géant d'une photo d'un paysage ou d'une scène, collé sur un support rigide et servant de toile de fond.
DEC

pick-up (n.)   retransmission
                        sur place (loc. subst.) (fam.)
Enregistrement d'un spectacle hors studio.
MES
V. aussi *live pick-up, remote*

pick-up point   point de prise
    Lieu d'où émane une émission en direct ou lieu d'enregistrement d'une émission de reportage.

          GES   MES

picture composition   cadrage (n.m.)
                               composition
    Action de déterminer les éléments qui doivent entrer dans l'image.

                         MES
      V. aussi *blocking, framing*

piggy-back commercials   annonces jumelées
    Message publicitaire comprenant deux annonces distinctes pour un ou plusieurs produits d'un même annonceur.

                         PRO

pilot   pilote (n.m.)
    Échantillon d'une série d'émissions montré en avant-première.

                         PRO

pilot light   voyant
    Signal lumineux, témoin ou avertisseur.

                         EQU   INS

pirate recording   enregistrement illicite
                                enregistrement pirate (fam.)
                                enregistrement en
                                   maraude (fam.)
    Reproduction illicite sur un support durable d'une émission de radio ou de télévision à des fins étrangères à celles du producteur.

                         GES

playback   synchronisation gestuelle
                                      contre-jeu
  1° Opération qui consiste à faire mimer par un acteur les gestes qui correspondent à une trame sonore enregistrée au préalable, c'est-à-dire en pré-sonorisation.
                                      lecture
  2° Action de faire jouer un enregistrement à des fins techniques. Se dit surtout pour les bandes magnétiques et magnétoscopiques.

                         MES

play-by-play description   commentaire
  Description commentée d'un match au fur et à mesure qu'il se déroule.

                         PRO

plug   publicité gratuite
free plug   publicité non autorisée
                                      publicité larvée
  Publicité clandestine faite au cours d'une émission par la mise en évidence soit d'une marque, soit d'un produit.

                         GES

political broadcast   émission politique
  Émission au cours de laquelle le représentant d'un parti politique vient exposer les vues de son parti.

                         PRO

poor reception area   zone d'ombre
  Partie du territoire d'un émetteur où la réception est de mauvaise qualité.

                         INS

portable camera   caméra portative
  Caméra à piles servant aux reportages.

                         EQU

portable equipment   équipement portable
    Pièces d'équipement non fixes qu'on peut transporter facilement.
                 EQU

portable relay   relais mobile
    Relais déplaçable dont on se sert pour acheminer vers l'émetteur le signal d'un reportage hors studio.
                 EQU

portable video package   bloc-vidéo portatif
PVP
    Ensemble portatif de traitement de l'image.
                 EQU

position   créneau
    Emplacement réservé dans le corps d'une émission à l'insertion des annonces publicitaires.
                 PRO
    V. aussi *time slot*

post-broadcast use   utilisation hors antenne
further use
non-broadcast use
    Utilisation des émissions à des fins autres que la radio-télévision.
                 GES   PRO

post-synchronization   postsynchronisation (gén.)
post dubbing   doublage
                 postsynchro (fam.)
    Action de donner à un film une bande sonore dans une langue autre que l'originale.
                 MES
    V. aussi *dubbing*

potential audience   auditoire virtuel
     Ensemble des personnes susceptibles d'écouter ou de regarder une émission, une station ou une chaîne.
                              PRO

power increase   renforcement de puissance
     Augmentation de la puissance de rayonnement d'un émetteur.
                              INS

practicable (n.)   praticable (n.m.)
practical
     Élément de décor qui fonctionne effectivement au lieu d'être simplement simulé.
                              DEC

practical lamp   lampe praticable
     Lampe que les comédiens peuvent faire fonctionner sur le plateau.
                              DEC

practical set   décor praticable
     Élément de décor qu'on peut utiliser comme objet réel.
                              DEC

practical window   fenêtre praticable
     Fenêtre d'un décor qu'on peut ouvrir et fermer.
                              DEC

preempted program   émission déplacée
                              — ou annulée (selon le cas)
     Émission déplacée ou remplacée par une autre jugée plus importante.
                              PRO

preempting program   émission prioritaire
   Émission qui en déplace une autre jugée moins importante.
   PRO

preemption   exercice du droit de priorité
   Déplacement d'une émission en vertu d'un droit de priorité.
   GES   PRO

preset bus   omnibus de préréglage
   voie de préréglage
   Circuit de commutation où certaines opérations sont prévues d'avance et déclenchées automatiquement.
   INS

preset fade   fondu préréglé
   Fondu obtenu par le préréglage des gradateurs.
   MES

presetting   préréglage
   Réglage préalable des jeux d'éclairage et des transitions utilisés dans une émission.
   MES   INS

press conference   conférence de presse
news conference
   Convocation des journalistes pour leur communiquer une nouvelle jugée importante.
   PRO

press kit   cahier de presse
   Groupe de documents généralement insérés dans une pochette plus ou moins luxueuse et destinés à renseigner les journalistes sur un sujet donné.
   GES   PRO

press release   communiqué
Texte d'une information remise à la presse.

PRO

pressure roller   galet presseur
Rouleau de caoutchouc qui régularise le déroulement de la bande dans un magnétoscope.

EQU

preview   bande annonce; film
annonce;
séquence-annonce
1° Montage de séquences présentant les principales scènes d'une œuvre cinématographique.

avant-première
2° Présentation d'un film ou d'une émission, devant un groupe particulier (des journalistes par exemple), avant sa représentation publique.

GES   PRO

preview (to)   précontrôler
Action du réalisateur qui regarde l'image captée par chaque caméra avant de choisir celle qu'il acheminera vers l'antenne.

MES

previewing   précontrôle
Opération par laquelle le réalisateur prend connaissance sur ses écrans de contrôle des images captées par les caméras.

MES

preview screen   écran d'épreuve
preview monitor
Écran qui permet de vérifier la qualité de l'image provenant hors du studio avant de l'acheminer à l'antenne.

EQU

prime time   heures de grande écoute
peak viewing period   heures de pointe
Heures où l'auditoire est le plus nombreux.
PRO

prime time slot   créneau de pointe
Période de diffusion à la radio ou à la télévision correspondant aux temps de la journée où l'écoute est la plus intense.
PRO

principal performer   premier rôle
                                   protagoniste
Comédien qui interprète un rôle important dans une émission.
MES

principle of dominance   composition hiérarchisée
Règle de composition de l'image où les objets et les personnages sont placés selon leur importance.
MES

principle of subordination   composition subordonnée
Règle de composition de l'image où les objets et les personnages occupent des plans différents en fonction de leurs relations les uns avec les autres.
MES

print through   imprégnation magnétique
1° Phénomène résultant de la contamination de deux couches de ruban enroulées sur une bobine.
                                   effet d'écho
                                   écho magnétique
2° Défaut de reproduction d'un enregistrement magnétique où il y a eu imprégnation.
EQU

private   privé
   Se dit des entreprises de radiotélévision qui ne relèvent ni directement ni indirectement de l'État.
                                                                GES
process projector   projecteur par transparence
   Instrument servant à faire des projections par transparence.
                                                                EQU
   V. aussi *rear screen projector*

process shot   transparence
   Plan qui utilise le trucage de la transparence.
                                                                MES

produce (to)   produire
   Action de réaliser une œuvre cinématographique, télévisuelle ou radiophonique considérée sous l'aspect du financement et de la gestion.
                                                                GES

produce (to) (CAN, GB)   réaliser
   Mettre une émission en scène et en assurer la mise en images sur les plans artistique et technique.
                                                                MES

producer (US)   producteur
   Personne ou organisme responsable de la gestion administrative, financière et artistique d'une émission.
                                                       GES   PRO   MET

producer (CAN et GB)   réalisateur
   Personne responsable de l'aspect artistique et technique d'une émission.
                                                           MES   MET

producer-director   producteur (FR)
Personfne qui conçoit une émission et en assure elle-même la réalisation.

GES   MET   PRO

production   production
1° Émission dont la réalisation est assumée par une entreprise.
2° Ensemble des émissions diffusées ou réalisées par une station, un réseau ou une entreprise indépendante.

MES   GES

production desk   pupitre de régie
Ensemble des dispositifs de commande situés dans la régie du studio.

INS

production meeting   conférence de production
conférence d'étude (FR)
Réunion au cours de laquelle on discute d'un projet d'émission, de sa mise en images, etc.

MES

program   programme
1° Ensemble des émissions d'une station, d'une chaîne ou d'un réseau; ensemble quelconque d'émissions regroupées sous un même genre.
2° Ensemble des émissions d'une journée ou d'une unité de temps déterminée.

PRO   GES

V. aussi *service*

program   émission
Unité de diffusion coiffée d'un titre.

PRO   GES

V. aussi *broadcast*

program clearance   coordination du
traffic clearance   trafic-émission
    Ensemble des opérations de réservation et de coordination assurant l'acheminement des émissions vers leur destination.

                INS

program director   directeur des programmes
    Personne qui, dans une station ou une chaîne, est responsable de la programmation et de son contenu.

                MET

program fare   menu d'émissions
                programmation
    Ensemble des émissions présentées par une station ou un réseau, envisagées plutôt sous l'angle de leur contenu.

                PRO
    V. aussi *programming*

program log   registre des émissions
    Livre où l'exploitant d'une station ou d'un réseau doit consigner rigoureusement tous les éléments qui passent à l'antenne.

                GES
    V. aussi *log sheet*

program meeting   réunion de programmation.
    Réunion groupant les responsables de la programmation.

              PRO   GES

programmer   programmateur
    Personne responsable de la mise des émissions à l'horaire.

              PRO   MET

programming   programmation
    Action d'inscrire une émission sur la grille des program-
mes ; résultat de cette action.
                                                PRO
    V. aussi *program fare*

program origination   source
    Lieu de provenance d'une émission.
                                            PRO   GES

program organizer   recherchiste
program research assistant
    Personne chargée de trouver et de réunir les éléments né-
cessaires à la réalisation d'une émission.
                                                MET
    V. aussi *researcher*

program package   bloc d'émissions
    Groupement de certaines émissions pour la vente ou
l'exportation.
                                            PRO   GES

program schedule   horaire
schedule   grille
    Ensemble d'émissions programmées à des moments
précis à l'intérieur d'une unité de temps : journée, semaine,
mois.
                                                PRO

program supervisor   superviseur d'émission (CAN)
                                  chef de programme (FR)
    Cadre chargé de s'assurer que la réalisation d'une émis-
sion respecte les politiques et les normes de l'entreprise.
                                            GES   MET

projectionist projectionniste
Technicien chargé de faire fonctionner un projecteur de films ou de diapositives.

MET

projection room salle de projection
Lieu où l'on projette des films à des fins de visionnement.

INS

projection screen écran de projection
Surface réfléchissante ou translucide permettant l'observation de l'image projetée.

EQU

projection spot projecteur principal
Dispositif d'éclairage fondamental utilisé dans les studios et muni d'une lampe d'une puissance de 3000 watts.

DEC

promo (fam.) autoréclame
Message d'autopublicité.

PRO   GES

promotion autopublicité
publicité-maison
Ensemble de moyens que prend une entreprise de radio-télévision pour faire connaître sa production.

PRO   GES

prompt (to) souffler
Action, pour une personne, de pallier les déficiences de mémoire des comédiens en lisant le texte à voix basse. Utiliser des cartes aide-mémoire ou un texte sur déroulant à la même fin.

MES

property   accessoire
prop (coll.)
 Objet qui prend place dans un décor ou est utilisé au cours d'une émission.

       DEC

propsman specialist   ensemblier
property manager
 Accessoiriste spécialisé dans l'étude des styles.

       MET DEC

property man   accessoiriste
propsman
 Personne responsable des accessoires sur le plateau ou dans le studio.

       MET DEC

propsman crewleader   chef accessoiriste
 Personne qui a sous ses ordres en studio plusieurs accessoiristes.

       MET DEC

public address system   sonorisation
P.A. System   sono (fam.)
 Installation d'amplification des sons pour audition directe.

       INS

public affairs program   émission d'affaires publiques
 Genre d'émissions consacrées à l'étude des questions politiques, à la gestion de la chose publique ainsi qu'aux questions d'intérêt public.

       PRO

public carrier   entreprise publique
         de télécommunications
 Entreprise spécialisée dans l'acheminement des signaux de télécommunications : téléphone, télégraphe, télévision, etc.

       INS

public domain   domaine public
P.D.
    Ensemble des œuvres qui ne sont plus protégées par le droit d'auteur.

GES

public interest program   émission de service public
public service program
    Émission faisant connaître les organismes de bienfaisance, leurs objectifs, leurs besoins, etc.

PRO

public participating program   émission à participation
                                             directe
    Débat ou émission de jeu où le public est appelé à participer.

PRO

public performing rights   droits d'exécution publique
                                        droits de représentation
                                             publique
    Droit de jouer une œuvre en public.

GES

public service television   télévision de service public
    Télévision conçue essentiellement comme un service au public, et qui n'a pas à se conformer aux exigences d'une exploitation commerciale.

PRO   GES

pull-off (n.)   retrait
    Action de retirer du champ de la caméra le carton porteur de titres.

MES

puppeteer　　　　　　　　　　marionnettiste
puppet handler　　　　　　　　castelier (vx)
　　Personne qui anime les marionnettes.
　　　　　　　　　　　　MET　　PRO

quarter-track tape recorder   magnétophone quadripiste
four-track tape recorder   magnétophone à quatre pistes
     Magnétophone doté d'une tête enregistreuse qui peut impressionner la bande sur deux pistes dans chaque direction de défilement.

EQU

quick-change room   loge de plateau
     Petit local où un artiste peut aller rapidement changer de costume au cours d'une émission.

INS

quick motion   accéléré (n.)
fast motion
     Procédé permettant, par le ralentissement de la prise de vues, d'obtenir à la projection des effets très rapides.

MES

     V. aussi *time lapse projection*

quick scene changing   transformation rapide des
                                   décors
     Façon de changer rapidement les décors pendant une émission.

DEC

quiz master   meneur de jeu
                    animateur
    Personne qui dirige le déroulement d'une émission-
concours.
                                    MET
    V. aussi *emcee, moderator*

quiz   jeu (gén.)
quiz program   jeu-questionnaire
quiz show   émission-concours
    Sorte de jeu où les concurrents doivent répondre à des
questions pour gagner des prix.
                                    PRO

rabbit ear
antenne en V
oreilles de lapin (fam.)
antenne intérieure (gén.)
Type d'antenne intérieure composée essentiellement de deux tiges formant un angle dont l'ouverture est réglable à volonté.

EQU

rack
cadre
bâti
Structure métallique destinée à recevoir des «tiroirs» d'équipement.

INS

rail
tête
Partie supérieure du cadre d'un châssis de décor.

DEC

rate card
tarif
Tableau indiquant les coûts d'occupation du temps d'antenne.

PRO   GES

rating
cote d'écoute
Évaluation en pourcentage de la taille de l'auditoire d'une émission, d'une station, etc.

PRO

raw tape bande vierge
ruban vierge
Bande magnétique ou magnétoscopique non impressionnée.
EQU

reach (n.) portée
Nombre de personnes touchées par une station ou un réseau au cours d'une période donnée.
PRO

reach (to) toucher
atteindre
Rejoindre un public par ses émissions.
PRO

reaction shot contrechamp de l'interlocuteur
plan psychologique
plan de réaction
Plan qui montre la réaction d'un personnage à une affirmation, à un événement.
MES

readout voyant
Signal lumineux placé au-dessus des écrans-témoins permettant d'identifier avec sûreté l'acheminement du signal.
EQU

ready cue signal « prêt »
Avertissement donné par le réalisateur avant d'entreprendre une action.
MES

rear-projected   projeté par transparence
   Se dit d'un film ou d'une diapositive projetés sur un
écran en verre dépoli pour le faire servir de décor.
                                          MES

rear-projection   projection par transparence
   Procédé de projection de films ou de diapositives sur un
écran en verre dépoli pour les faire servir de décor.
                                          MES

rear-projection screen   écran translucide
   Écran utilisé pour les projections par transparence.
                                          EQU

rear screen projector   projecteur par transparence
back screen projector
   Appareil servant à la projection de films ou de diapositives sur un écran de verre ou de plastique dépoli.
                                          EQU
   V. aussi *process projector*

rebroadcast   réémission
   Action de reprendre la diffusion d'une émission. Son
résultat.
                                          PRO

rebroadcast (to)   réémettre
   Reprendre la diffusion d'une émission déjà diffusée.
                                          PRO

rebroadcasting station   réémetteur
satellite station
   Station habituellement télécommandée, placée en dé-
pendance directe d'une station principale sans l'intervention
des liaisons de réseau.
                                          INS

record   disque
        enregistrement phono-
          graphique (jur.)
  Plaque circulaire sur laquelle on enregistre des sons pour les restituer par la suite.
       EQU

record band   plage
  Ensemble de spires qui, sur la même face d'un disque, en délimitent les parties.
       EQU

recorded program   émission enregistrée
  Émission mise sur un support matériel conservable.
       PRO

recorded live television télévision préenregistrée
  Technique de mise à l'antenne qui exige que toutes les émissions soient enregistrées avant leur diffusion.
       GES PRO

recording   enregistrement
  Action de mettre une émission sur un support matériel conservable. Son résultat.
       MES

recording artist   artiste exécutant
  Artiste qui participe à un enregistrement sur disque ou sur bande soit en interprétant de la musique ou en récitant un texte.
       GES

recording equipment matériel d'enregistrement
  Ensemble des appareils nécessaires à l'enregistrement d'une émission.
       EQU

record library discothèque
Lieu où l'on range et conserve des enregistrements sur disque.

INS

record operator opérateur-disque
record spinner (fam.)
pancake turner (fam.)
turntable operator
Technicien chargé de faire tourner les disques.

MET

red light voyant de la caméra
camera light
cue light
Lumière fixée à la caméra et qui s'allume lorsque l'image captée est retenue pour passer à l'antenne.

EQU

reel-to-reel tape recorder magnétophone à bobines
Magnétophone dont le ruban magnétique est enroulé sur des bobines débitrice et réceptrice.

EQU

rehearsal répétition
Essai qui marque une étape dans la mise au point d'une émission.

MES

relay relais
Appareil servant à réacheminer un signal de radiotélévision.

INS

relay (to)   relayer
Capter un signal pour le retransmettre et le réacheminer vers un autre émetteur.

INS

relay station   relais
station de relais
station-relais
Station qui reçoit d'un émetteur un signal quelconque et qui l'achemine, après amplification, vers un autre émetteur ou une autre station de même nature.

INS

relay transmitter   émetteur-relais
Émetteur qui remplit aussi les fonctions de relais.

INS

remote (n.)   retransmission
remote pickup   reportage
outside broadcast
Diffusion d'une manifestation publique en dehors des studios, qui n'est pas spécialement destinée à la radiotélévision.

PRO

V. aussi *pick-up*

remote (adj.)   hors studios
Se dit de toute activité relative à une émission ou à une partie d'émission réalisée hors des studios.

PRO

remote-control equipment   équipement télécommandé
Groupe d'appareils commandés à distance.

EQU

report (to)   faire un reportage
Rendre compte d'un événement à des fins journalistiques.
PRO

researcher   recherchiste
Personne qui fait le travail de recherche : documents, idées, personnes pour une émission.
MET
V. aussi *program organizer*

respondent   répondant
Personne qui répond aux questions posées à l'occasion d'un sondage.
PRO

return flat   retour
corner post
Élément de décor composé de deux châssis fixés à angle droit.
DEC

revamp (to)   remodeler
Apporter à une émission une amélioration en profondeur, en particulier sur le plan de la forme.
PRO

revamping   remodelage
Amélioration en profondeur d'une émission, en particulier sur le plan de la forme.
PRO

reverse motion   marche arrière
Projection ou prise de vues d'une séquence ou d'un film dans l'ordre inverse de son déroulement normal.
MES

reverse shot   contre-champ
reverse angle shot
Scène captée alternativement par une caméra tournée dans une direction donnée, puis par une autre caméra placée dans la direction opposée.
MES

revue   revue
Spectacle de variétés composé d'une succession de tableaux et de numéros.
PRO

rewinder   réembobineuse
rebobineuse
Dispositif qui permet le réenroulement rapide d'un film ou d'une bande magnétique.
EQU

right of preemption   droit de priorité
Droit conféré à un réseau de déplacer une émission commanditée lorsque survient un événement important.
GES

rim lighting   éclairage à contre-jour
back lighting
Éclairage fourni par une source lumineuse placée derrière le sujet et faisant face à la caméra.
DEC

Obs.: On distingue parfois le *back lighting* et le *rim lighting* ; ce dernier désignant un éclairage rasant à contre-jour.

riser   praticable (n.m.)
Caisse de bois pour surélever une pièce d'équipement ou un acteur.
DEC

risk performance risque d'exécution
Action qui oblige l'artiste ou l'interprète à courir un risque déraisonnable, compte tenu de son expérience et de ses aptitudes.

GES MES

roll drop rideau à la polichinelle
roller drop
Rideau de toile enroulé à partir de la base sur un rouleau manœuvré par deux fils.

DEC

room noise bruit ambiant
bruit de studio
Sons parasites émis dans un lieu où l'on fait une prise de son.

MES

rope lashing serrage par fil
Façon de relier des châssis de décor au moyen d'un fil fixé à l'une de ses extrémités et passant alternativement par les diverses sauterelles fixées sur chaque châssis.

DEC

rotation pattern schéma de roulement
Ordonnancement de la présentation des annonces publicitaires qui passent à plusieurs reprises.

PRO

rough cut premier montage
first cut
Montage provisoire qui donne une idée générale du déroulement et du rythme du film.

MES

roving mike microphone baladeur
Microphone mobile dont on se sert pour interroger les gens dans une salle en passant de l'un à l'autre.
EQU

royalty droits d'auteur
1° Sommes qu'un auteur perçoit sur la vente ou la reproduction de son œuvre.
tantième
2° Pourcentage que touche un artiste pour chaque reprise de l'émission à laquelle il a participé.
V. aussi *step-up fee*
GES

R.P.M. t/min
revolutions per minute tours-minute
Unité de mesure de la vitesse de lecture d'un disque.
EQU

run-down (n.) répartition
mise en place
Distribution des annonces à l'intérieur d'une émission.
PRO   GES

run of schedule libre programmation
Méthode qui consiste à faire passer des annonces-éclair à divers moments de la journée, sans ordre fixe.
PRO

run of schedule discount rabais pour libre
programmation
Réduction accordée à un annonceur lorsqu'il accepte la formule de la libre programmation pour ses messages.
GES

run-over (n.)   dépassement
overrun (n.)
Le fait d'excéder la durée fixée pour une émission.
PRO

run-through (n.)   filage
Action d'enchaîner les cadrages. Son résultat.
MES

rushes   épreuves de tournage
Tirage des films avant montage.
MES

sand bag   lest (gén.)
    Sac de sable qu'on met sur la béquille d'un châssis pour lui donner plus de stabilité.

                  DEC

satellite   satellite
                     satellite artificiel
    Satellite artificiel placé sur une orbite et qui relaie les émissions de télévision sur de grandes distances.

                  INS

satisfaction rating   indice de satisfaction
    Quantification de la satisfaction éprouvée par un téléspectateur devant une émission.

                  PRO

saturation spot campaign   pilonnage publicitaire
spot saturation campaign
    Campagne de publicité qui repose sur la répétition fréquente d'une annonce-éclair au cours d'une durée déterminée.

                  PRO

scene dock   dépôt de décors
scenery dock
     Lieu où l'on entrepose châssis et autres éléments de décors.
                 INS

scenery construction   construction des décors
     Technique permettant de réaliser les décors.
                 DEC

scenery design   décoration scénique
set design
     Conception du dispositif scénique.
                 DEC

scenery handling   manutention des décors
     Transport, plantation et démontage des décors.
                 DEC

scenery painting   peinture de décors
scenic painting
     Art de peindre les décors pour les émissions.
                 DEC

scenery personnel   scénographes
     Ensemble des personnes qui s'occupent de la conception et de la réalisation des décors.
                 MET

scenery setting   plantation du décor
     Mise en place du dispositif scénique.
                 DEC

scenic artist   peintre-décorateur
scenic painter
scene painter
     Artiste qui fait la peinture des décors.
                 DEC   MET

scenic carpenter   menuisier de décor
scene carpenter
 Personne qui construit les divers éléments d'un décor.
       DEC MET

schedule   horaire
          grille
 Tableau horaire donnant l'heure du passage à l'antenne des émissions de la journée.
       PRO
 V. aussi *program schedule*

school broadcast   émission scolaire
 Émission d'enseignement destinée aux enfants d'âge scolaire.
       PRO

scout   recruteur
 Personne qui a pour fonction de rechercher de nouvelles recrues dans le domaine du spectacle.
       GES PRO

screen   écran
 1° Face visible d'un tube cathodique.
 2°. Surface sur laquelle on projette un film cinématographique.
       EQU

screen (to)   visionner
 Regarder un film ou une émission de télévision à des fins techniques : critique, censure, étude, etc.
       PRO
 V. aussi *monitor (to)*

screening   visionnage (FR)
                                            visionnement (CAN)
    Action de regarder un film ou une émission de télévision
à des fins techniques.
                                MES   PRO
screen test   bout d'essai
dry run
television test
    Épreuve qu'on fait subir à quelqu'un pour juger de ses
aptitudes à passer l'écran.
                                GES   MES
script assistant   scripte (m. ou f.)
script girl   assistant à la production
script clerk
production assistant
    Collaborateur du réalisateur responsable de la continuité
et des détails techniques du déroulement de l'émission.
                                MET   MES
script editing   sélection de textes
story editing   lecture de textes
    Action de choisir et de réviser des textes d'émissions.
                                PRO
script editor   chef-scénariste
    1° Personne responsable de la sélection et de la révision
    des scénarios ainsi que de l'affectation des scénaristes.
                                            lecteur
    2° Critique chargé de faire le choix de manuscrits en vue
    de leur diffusion.
                                PRO   MET
script rack   pupitre de lecture
    Plan incliné où l'annonceur place le texte à lire.
                                EQU

script writer   scénariste
  1°   Rédacteur de scénarios.
                       scripteur
  2°   Celui qui adapte un scénario aux exigences de la réalisation télévisuelle.
                       MET
  V. aussi *continuity writer*

seamstress   couturière
  Personne qui coud les costumes.
                       MET

season   saison
  Époque de l'année caractérisée par une activité plus intense de la production.
                       PRO

selective sale   vente sélective
  Vente du temps d'antenne-réseau à un annonceur qui choisit certaines stations du réseau où doit passer son message.
                       GES

self-assigning   à horaire libre
  Se dit d'un agent qui détermine lui-même son emploi du temps.
                       GES

sequence   séquence
  Groupe de plans ou de scènes formant un tout, déterminé par le temps, le lieu ou l'action.
                       MES

serial drama   feuilleton
serial   téléroman (CAN)
  Émission dramatique dont les épisodes ont une trame continue et sont présentés à intervalles réguliers.
                       PRO

series   série
Rubrique qui groupe plusieurs émissions revenant à intervalles réguliers.
PRO

serious music   musique sérieuse
Catégorie d'œuvres musicales qui vise à produire un effet esthétique, de recherche, etc. S'oppose à la musique légère, qui est sans prétention.
PRO

serious TV drama   .   téléthéâtre
TV theater
Émission reproduisant des pièces de structure classique originellement écrites pour le théâtre. Pièce dramatique conçue pour la télévision.
PRO
V. aussi *TV drama*

serve (to)   desservir
Assurer un service régulier d'émissions sur un territoire donné.
GES

service   programme
Ensemble d'émissions fournies par un réseau sur l'une de ses chaînes.
PRO

set designer   décorateur
scenic designer
scene designer
Concepteur d'un décor de télévision.
DEC   MET

set dressing   habillage du décor
    Action de garnir un décor de ses meubles et accessoires.
                    DEC

set piece   élément autonome
    Élément de décor isolé qui se tient par lui-même.
                    DEC

sets-in-use   récepteurs en service
    Notion de sondage qui évalue le parc des téléviseurs en
fonction du nombre des appareils dûment installés.
                    PRO

set (to) the scenery   planter le décor
set (to) the stage
    Action de mettre le décor en place sur le plateau.
                    DEC

shadow box   boîte à titres
    Boîte à miroir servant à présenter les titres dans une
émission.
                    EQU

sheet music   partition
                        musique écrite
                        cahier de musique
    Musique écrite sur des feuilles ou dans un cahier.
                    MES

shoot (to)   faire la prise de vues
                        tourner
    Capter une scène à l'aide d'une caméra.
                    MES

shooting   prise de vues
    Opération de la caméra qui capte une scène.
                    MES

shooting script   découpage
    Texte d'une émission comportant des indications de minutage, la succession des plans ou des scènes, les mouvements de caméra, les effets visuels ou sonores, etc.

                          MES

   V. aussi *continuity*

shop carpenter   menuisier d'atelier
    Menuisier qui travaille en atelier à la construction des décors.

                          MET

shot   plan
    Image captée par la caméra.

                          MES

shoulder shot   plan-épaule
    Image qui montre les personnages à partir des épaules.

                          MES

showmanship   présence
   1°   Aptitude d'un artiste à passer l'écran.

                 sens du spectacle
   2°   Aptitude du réalisateur à faire passer l'écran à son émission.

                          MES

shutter   volet
    Nom générique de divers types de transitions optiques obtenues au moyen de caches.

                          MES

signal   signal
    Image ou son décomposés en courant électrique.

                          INS

   V. aussi *feed*

signature   signature
sig (coll.)
    Phrase de conclusion ou formule de salutation à la fin d'une émission ou d'un message publicitaire.
                           PRO   MES
    V. aussi *closing billboard*

sign off (to)   faire la fermeture
    Annoncer la fin des émissions à une station.
                      MES

sign-off (n.)   fermeture
    Annonce de la fermeture quotidienne d'une station de radio ou de télévision.
                      MES

sign-on (n.)   ouverture
    Annonce de l'ouverture quotidienne d'une station de radio ou de télévision.
                      MES

sign on (to)   faire l'ouverture
    Faire l'inauguration de la journée de diffusion d'une station.
                      MES

silent (adj.)   muet
    Se dit d'un film sans trame sonore.
                      MES

simulcast (n.)   émission en jumelé
    1° Émission passant à la fois à la radio et à la télévision.
                      jumelé (n.m.)
    2° Procédé de diffusion simultanée d'une émission à la radio et à la télévision.
                    PRO

simulcast (to)   radiotéléviser
   Action de diffuser simultanément une émission à la radio
et à la télévision.

                              PRO

single system   enregistrement monobande
                                     enregistrement à bande
                                     unique
   Système d'enregistrement où la partie sonore d'une émission s'enregistre en même temps que l'image sur la même
bande.

                              INS   MES

situation comedy   comédie de situation
sitcom (fam.)
   Genre dramatique qui tire ses effets comiques de la
cocasserie des situations.

                              PRO

sky cyclorama   cyclopanorama
sky cyc (coll.)
   Toile circulaire tendue sur un cadre.

                              DEC

slide library   diathèque
                                     diapothèque
   Lieu où l'on conserve les diapositives.

                              INS

slide show   diaporama
slide presentation
   Émission composée de dispositives accompagnées d'une
trame sonore.

                              PRO   MES

slide-through   volet tamponneur
Type de transition où l'image suivante semble pousser la précédente hors de l'écran.
MES

slippage   glissement
Défaut de reproduction de l'enregistrement magnétique résultant de la variation de la vitesse de déroulement de la bande.
EQU

slow motion   ralenti (n.m.)
Procédé qui, en accélérant le rythme de la prise de vues, permet de ralentir le mouvement à la projection.
MES

slot advertising   publicité de créneau
Type de publicité qui se fait dans des tranches de temps réservées à cette fin.
PRO   GES

small rights   petits droits
Droits d'exécution publique des œuvres musicales non dramatiques d'une durée inférieure à trois minutes.
GES

smearing   estompage
Défaut de l'image télévisuelle qui produit, à droite de sa source, un effet d'essuyage vite estompé.
INS

snow bag   sac à neige (néol.)
Sac utilisé pour simuler une chute de neige.
DEC

soap opera (fam.) feuilleton
téléroman
Appellation familière des feuilletons mélodramatiques de la radiotélévision.
PRO
V. aussi *serial drama*

sound effects bruitage(s)
audio special effects effets sonores
Ensemble des bruits, créés le plus souvent artificiellement, qui donnent à l'auditeur l'impression de l'ambiance dans laquelle se déroule l'émission.
MES

sound effects library sonothèque
Lieu où l'on range et conserve des enregistrements de divers bruits.
INS

sound effects man illustrateur sonore (FR)
bruiteur
Technicien responsable de la création artificielle des bruits exigés pour une émission.
MET

sound effects record disque de bruitage
Disque où sont enregistrés tous les bruits usuels.
EQU

sound effects room studio de bruitage
Salle où on réalise des bruitages.
INS

sound engineer   technicien du son
audio technician   ingénieur du son (FR)
audio engineer   chef-opérateur du son
    Technicien responsable de la qualité de la partie sonore d'une émission.
                    MET
  V. aussi *audio control man*

sound librarian   phonothécaire
    Responsable du classement et de l'exploitation d'une phonothèque.
                    MET

sound library   phonothèque
    Lieu où l'on range et conserve des enregistrements parlés.
                    INS

sound lock   sas (n.m.)
    Espace, compris entre deux portes étanches aux sons, qui empêche, à l'ouverture d'une porte, les bruits extérieurs de pénétrer dans les studios.
                    INS

sound on film   piste optique intégrée (sp.)
S.O.F.   piste magnétique intégrée
                        (sp.)
    Mention indiquant que la piste sonore est intégrée au film.
                    INS

sound on sound recording   surimpression sonore
    Procédé d'enregistrement qui permet la superposition d'une trame sonore sur un fond sonore déjà existant.
                MES   INS

sound perspective   perspective sonore
Qualité du son qui fait apparaître des plans sonores compatibles avec les plans visuels.
               MES

soundproof (to)   insonoriser
Rendre un studio impénétrable par les bruits extérieurs.
               INS

sound proofing   insonorisation
Isolation phonique des studios.
               INS

sound slide   diapositive sonorisée
Diapositive accompagnée d'un commentaire sonore.
               EQU

sound vehicle   véhicule de sonorisation
Véhicule équipé d'un microphone, d'un amplificateur, de haut-parleurs afin de transmettre des paroles ou de la musique.
               EQU

special business extra   silhouette
Personne qui remplit un rôle de figuration avec participation individualisée.
               MET

special effects   trucages
effets spéciaux
Artifices télévisuels ou cinématographiques servant à créer certaines illusions d'optique.
               MES

special effects generator   pupitre de trucage
                                        truqueur
      Appareil qui produit des volets, des incrustations et autres trucages.

                                  EQU   INS

special effects lighting   effets d'éclairage
      Éclairage insolite pour produire certains effets voulus par le réalisateur.

                                  DEC

special effects operator   truqueur
special effects man   truquiste
                                      trucman (FR)
      Technicien responsable de la réalisation des effets visuels.

                                  MET

special event broadcast   grand reportage
                                       reportage hors série
      Compte rendu d'un événement marquant et exceptionnel.

                                  PRO

special skill extra   figurant spécialisé
      Personne qui remplit un rôle de figuration exigeant un talent particulier.

                                  MET

specialty act   numéro de variétés
      Petit spectacle faisant partie du répertoire d'un artiste de cirque dans un programme de music-hall.

                                  MES

spectacular (n.)   superproduction
super
      Émission de télévision à grand déploiement dont la durée excède en général une heure.

                                  PRO

splicer colleuse
Appareil qui sert au collage des films et rubans.
EQU

splicing collage
Action de coller divers bouts de films ou divers bouts de bandes magnétiques ensemble.
EQU

splicing tape ruban à épisser
Ruban spécial servant à épisser le ruban magnétique.
EQU

split screen image composite
polyptyque (n.m.)
Image de télévision formée par la juxtaposition de scènes venant de sources différentes.
MES
V. aussi *composite image, multiple image*

sponsor commanditaire
Annonceur publicitaire qui patronne ou achète une émission.
GES

sponsored program émission commanditée
Émission dont les frais et le temps d'antenne sont payés par l'annonceur.
GES PRO

sponsor identification indicatif de commandite
indicatif commercial
Mention, inscription, enseigne, marque qui sert à identifier le commanditaire d'une émission.
GES PRO

sponsorship   commandite
    Contrat par lequel un annonceur acquiert le droit de faire sa publicité au cours d'une émission identifiée publicitairement à lui.

GES   PRO

sportscaster   chroniqueur sportif
sports commentator   journaliste sportif
                                     annonceur sportif (CAN)
                                     commentateur sportif
    Annonceur spécialisé dans le domaine du sport.

MET

sports remote   retransmission sportive
    Diffusion en direct d'une compétition sportive.

PRO

spot announcement   annonce-éclair
spot
    Annonce publicitaire d'une courte durée.

GES   PRO

spot carrier program   émission à créneaux
    Émission de radio ou de télévision dans laquelle on peut insérer des réclames de plusieurs annonceurs et de durée variable.

PRO   GES

spotlight   spot
                           projecteur
    Appareil à éclairage concentré au moyen d'une lentille.

DEC

    V. aussi *baby spotlight*

spotlighting   éclairage ponctuel
                              éclairage concentré
     Technique d'éclairage qui consiste à mettre un élément en évidence au moyen d'un éclairage concentré.
                 DEC

spot news   fait divers
     Information cueillie sur les lieux mêmes de l'événement.
                 PRO

sprocket   dent d'entraînement
     Sorte d'ergot que porte le tambour ou galet d'un projecteur.
                 EQU

sprocket hole   perforation d'entraînement
     Perforation en bordure d'une pellicule qui en permet l'entraînement dans le projecteur.
                 EQU

sprocket wheel   tambour
                               galet
     Roue dentée du projecteur qui entraîne le film.
                 EQU

staff (adj.)   homologué
     Se dit des agents qui font partie de l'effectif d'une entreprise, par opposition aux pigistes ou aux contractuels.
                 GES

stage   plateau
studio floor
     Partie du studio où se déroule l'émission.
                 INS

stage brace   béquille
    Dispositif d'appui d'un châssis de décor, qui relie un point de la traverse au sol.
                      DEC

stage carpenter   menuisier de plateau
studio carpenter
    Menuisier qui construit les décors sur le plateau.
                    MET   DEC

stage hand (télévision, théâtre) machiniste
    Préposé au montage, au démontage et à la manutention des décors.
                    MET

stage setting   implantation des décors
    Détermination de l'emplacement des éléments de décors.
                    DEC

staging   scénographie
    Art de concevoir et de réaliser les décors.
                    DEC
    V. aussi *design department*

staging director   metteur en scène
    Dans une grande production, personne responsable de la mise en scène.
                    MET

stand by!   attention!
    Avertissement donné avant le début de l'émission.
                    MES

standby (adj.)   de relève
                    de secours
    Se dit d'appareils ou d'émissions qu'on garde en réserve en cas de panne ou d'incident technique.
                    EQU   GES

standby (to be on)   être en attente
État de celui qui doit rester en disponibilité pour répondre aux besoins de la production.

GES

standby fee   cachet de dédommagement
Cachet versé à un comédien resté en disponibilité.

GES

standby program   émission de remplacement
Émission gardée en réserve pour en remplacer une autre au besoin.

PRO

stand-in   double de substitution
doublure-lumière
Personne qui offre les mêmes caractéristiques physiques que la vedette et qui la remplace pour le réglage des éclairages, la mise au point du décor, etc.

MET

standing mike   microphone sur pied
Microphone dont le pied repose sur le sol.

EQU

star   vedette
Artiste principal d'une distribution.

MES

V. aussi *feature player*

star system   vedettariat
Ensemble de mesures qui visent à promouvoir les vedettes.

GES

start! moteur!
Commandement du réalisateur au caméraman pour lui demander de commencer à tourner.

MES

station break pause-indicatif
Temps d'arrêt, ménagé entre deux émissions ou à heures fixes, au cours duquel la station ou le réseau doit donner son indicatif.

GES

station coverage rayonnement d'une station
Aire arrosée par l'émetteur d'une station.

INS

station identification indicatif
station I.D.
Symbole identifiant une station de télévision.

INS

station manager directeur de station
Personne responsable de la gestion d'une station de radiotélévision.

MET

station time temps d'antenne-station
Période occupée pendant les heures de diffusion d'une station.

GES

steer (to) piloter
Manœuvrer un socle ou un chariot de caméra ou une grue.

INS

step-up fee   cachet de redevance
union residuals   tantième
    Cachet versé aux interprètes à l'occasion de la reprise
d'une émission, d'un film.

GES

stereo playable on mono   gravure universelle
    Type de gravure des disques qui en permet la lecture
aussi bien en monophonie qu'en stéréophonie.

EQU

still background   arrière-plan fixe
    Fond de scène constitué d'une image fixe: agrandis-
sement, diapo, etc.

DEC

still photography   photographie
still picture   image fixe
    Plan fixe.

DEC

still library   photothèque
    Endroit où sont conservés les plans fixes ou photogra-
phies.

INS

stock interior   intérieur type
    Décor d'intérieur stéréotypé, par exemple taverne, salon
de coiffure, etc.

DEC

stock music (radiotélévision)   musique franche
    Enregistrements musicaux, libres de droits et qu'on peut
utiliser à loisir comme matériaux d'illustration sonore.

GES   MES

stock shot   plan d'archives
SS
  Bout de film conservé en vue d'une réutilisation.
         GES MES

stock shot library   réserve
stock library
  Endroit où l'on range et conserve des séquences ou des plans de film qui peuvent servir ultérieurement.
         INS

stop motion   prise de vues image
time lapse photography par image
  Prise de vues par plans isolés.
         MES
  V. aussi *time lapse*

stopping groove   sillon fermé
lock groove
  Sillon clos qui empêche le bras de lecture de glisser ou de déraper à la fin du disque.
         EQU

stop tape   enregistrement fractionné
  Procédé d'enregistrement au magnétoscope où l'on procède séquence par séquence.
         MES

story board   scénario-maquette
  Série d'esquisses ou de photos, avec découpage et scénario, illustrant les diverses scènes d'un projet d'annonce ou d'émission.
         PRO

story consultant   scénariste-conseil
    Spécialiste de la rédaction des scénarios à qui on fait appel pour résoudre des difficultés particulières.
                    MET

straight man   faire-valoir (n.m.)
    Comédien dont le rôle consiste, par ses répliques et ses réactions, à mettre en vedette l'acteur principal.
                    MES   MET

straight switching   coupure franche
cut   sec (FR) (n.m.)
    Passage d'une prise de vues à l'autre sans transition.
                    MES

stray light   lumière incidente
                        lumière parasite
    Lumière qui frappe le tube cathodique et qui peut gêner la perception de l'image.
                    EQU
    V. aussi *incident light*

strike (to) the scenery   démonter les décors
    Enlever les décors du plateau.
                    DEC

stringer   reporter local
                        informateur
    Pigiste qui communique à une agence d'information le commentaire d'événements locaux dont l'importance ne justifie pas l'envoi d'une équipe de reportage.
                    MET   PRO

strip light   traînée
portant
Dispositif d'éclairage à réflecteurs comprenant quatre ou cinq unités.

DEC

V. aussi *floor light*

strip programming   programmation à créneaux
fixes
Technique de programmation qui vise à faire passer les mêmes émissions dans les mêmes tranches horaires.

PRO

V. aussi *fixed time programming*

studio   studio
Local réservé à la production d'émissions et conçu à cette fin.

INS

studio effects   effets artificiels
Effets spéciaux produits en studio, en particulier pour simuler les phénomènes atmosphériques.

MES

studio set-up   mise en place
set-up
Action de déterminer la place de l'équipement en studio.

MES

studio time   temps-studio
Durée d'occupation d'un studio.

GES

stunt   jeu impromptu
Jeu improvisé qui fait partie d'une émission à concours.

PRO

subjective camera technique　　style subjectif de prise
de vues
caméra subjective
　　Utilisation de la caméra comme si elle était partie à l'action dramatique.

MES

subliminal advertising　　publicité subliminale
　　Tentative de faire parvenir aux consommateurs un message publicitaire qui serait enregistré dans leur inconscient sans être consciemment perçu. Ce procédé consiste à projeter des images à une vitesse un peu supérieure à celle qui permet une perception consciente.

GES

subliminal projection　　projection subliminale
　　Action de faire passer un message sans passer par la perception consciente.

PRO

subscription television　　télévision par abonnement
télévision payante (gén.)
　　Service de télévision qu'on peut recevoir en retour d'un droit d'abonnement payé périodiquement.

GES

　　V. aussi *pay television*

superimposure　　surimpression
super
　　Superposition de deux images ou de deux plans.

MES

supernumerary　　figurant
　　Personne faisant partie d'une scène de foule ou remplissant un rôle muet.

MES　　MET

supervising producer   superviseur de la production
    Celui qui assure le contrôle de la production d'une émission.

                             MET
    V. aussi *technical director*

supervise (to)   superviser
    Assurer la surveillance ou le contrôle technique d'une émission.

                             GES   MES

supply spool   bobine débitrice
    Dans un magnétoscope, bobine qui contient le ruban vierge.

                             EQU

supporting actor   acteur de second rôle
    Comédien qui remplit un rôle d'importance secondaire.

                             MES

supporting part   second rôle
    Rôle intermédiaire entre les protagonistes et les figurants.

                           MES   GES

sustaining program   émission non commanditée
    Émission qu'une station ou une chaîne diffuse à ses propres frais.

                           PRO

swish pan   panoramique filé
zip pan
    Panoramique très rapide.

                           MES

switch (n.)   coupure
cut   commutation
    Passage d'une caméra à une autre.

                         MES

switcher   aiguilleur
video switcher
    Technicien chargé, à la télévision, de faire les commutations d'images indiquées par le réalisateur.

                 MET

switching   aiguillage
    Opération qui consiste à effectuer les commutations de caméras selon les ordres du réalisateur.

                 MES

switching bar   barre d'aiguillage
                    barre de commutation
    Dispositif permettant la commutation rapide des caméras.

                 INS

switching equipment   truqueur
    Dispositif permettant la réalisation instantanée des divers volets de transition.

                 INS

switching system   pupitre de commutation
                    pupitre d'aiguillage
    Ensemble des installations permettant les commutations de caméras.

                 INS
    V. aussi *video switching panel*

sync sound   son synchrone
    Trame sonore synchronisée à l'image.

                 EQU

sync variation   synchronisation instable
    Instabilité des opérations de synchronisation en télévision.

                 INS

syndicated columnist   chroniqueur affilié
Journaliste spécialisé qui vend ses chroniques à des journaux abonnés par l'intermédiaire d'une agence de distribution.
                              MET

syndicated news   informations-circuit
Bloc d'informations en circuit fermé offert aux stations d'un réseau et aux stations affiliées.
                    PRO   GES

syndicator   agence de distribution
Personne physique ou morale qui vend simultanément à divers médias une chronique, une émission, des actualités, etc.
                    PRO   GES

synopsis   synopsis (n.m.)
story treatment
treatment
Résumé de l'intrigue d'une émission.
                    PRO   GES
V. aussi *outline*

tag   annexe (n.f.)
dealer tag
live tag
    Mention d'un ou de plusieurs concessionnaires à la fin d'une annonce d'un produit à la radio ou à la télévision.
               GES   PRO

take!   prenez!
    Commandement du réalisateur demandant l'aiguillage du signal des caméras selon le plan qu'il retient.
               MES

take-up reel   bobine réceptrice
take-up spool
    Bobine où s'enroule la bande magnétique dans un magnétophone ou un magnétoscope.
               EQU

talent   artistes
    Nom collectif désignant l'ensemble des artistes du monde du spectacle.
               PRO   GES

talent   talent
    Personne douée pour le spectacle.
               PRO   GES

talent agent   agent d'affaires
artist agent
    Personne habilitée par l'artiste à négocier ses contrats en son nom.
GES

talent scout   prospecteur
    Personne chargée de découvrir de nouvelles vedettes.
MET

talk show   talk-show
                                 interview-variétés
                                 babillogramme (néol.)
    Émission de divertissement comprenant des interviews plaisantes entrecoupées de numéros variés.
PRO

talk studio   studio-causerie
    Studio réservé aux émissions parlées.
INS

tally light   témoin lumineux
    Dans la salle de régie, lampe indiquant les circuits véhiculant le signal d'antenne.
INS

tape   bande (support impressionné)
                                 ruban (support vierge)
    Support de l'enregistrement magnétique.
EQU

tape (to)   marquer
                                 mettre des repères
    Tracer sur le plateau d'un studio ou d'une salle de répétition des repères pour indiquer l'emplacement des principaux éléments de décors, des meubles, des comédiens.
MES

tape coating material   enduit magnétique
   Substance dont on couvre les bandes pour leur permettre d'enregistrer sons ou images grâce à une aimantation rémanente.
   EQU

tape deck   table de défilement
   platine
   Partie d'un magnétophone ou d'un magnétoscope comprenant les têtes de lecture-enregistrement et les organes d'entraînement.
   EQU

tape library   magnétothèque
   Endroit où l'on conserve les enregistrements sur bande magnétique.
   INS

tape operator   opérateur-magnétique (FR)
   Personne chargée de la lecture des bandes magnétiques en studio.
   MET

tape recorder   magnétophone
   magnéto (fam.)
   Appareil servant à enregistrer et à reproduire les sons au moyen de l'aimantation d'un ruban recouvert d'un enduit magnétique.
   EQU

tape speed   vitesse de défilement
   Vitesse de déroulement d'une bande magnétique à l'enregistrement et à la lecture.
   EQU

tape splicer   colleuse
   Appareil qui permet d'épisser un ruban magnétique.
   EQU

taping implantation
Marquer au moyen de ruban gommé l'emplacement des éléments de décors.

MES DEC

target audience public cible
Partie du public particulièrement visée par une émission.

GES PRO

teaser pare-lumière
Écran empêchant les lumières d'atteindre la lentille de la caméra.

EQU

V. aussi *view-finder hood*

teaser introduction
intro
Séquence présentée tout au début d'une émission, avant le titre et le générique, pour attirer l'attention du spectateur.

MES

teaser advertising publicité-mystère
1° Technique publicitaire à base d'énigme qui vise à attirer progressivement l'attention du public sur un événement prochain.

annonce-amorce
aguiche (pop.)
2° Annonce rédigée selon cette technique.

GES PRO

technical animation animation graphique
Représentation de schémas animés pour illustrer le fonctionnement d'un appareil ou la représentation d'un phénomène.

DEC

technical defect   incident technique
technical fault   difficulté technique
trouble
    Défectuosité de la transmission technique qui gêne la réception d'une émission.

                        INS

technical director   directeur technique (CAN)
                        chef d'émission (FR)
    Personne responsable du déroulement technique de l'émission.

                        MET
    V. aussi *supervising producer*

technical maintenance   maintenance
    Ensemble des opérations, assurées par un personnel qualifié, qui sont nécessaires au bon fonctionnement de l'équipement technique.

                        INS
    V. aussi *maintenance*

telecast   émission de télévision
    Unité de diffusion d'un programme de télévision identifiée par un titre.

                        PRO

telecast (to)   téléviser
    Diffuser au moyen de la télévision.

                        PRO

telecaster   homme de télévision
TV broadcaster   femme de télévision
    Communicateur à la télévision.

                        MET

telecaster   téléaste
television man
Réalisateur, professionnel de la télévision.

                     MET

telecine   télécinéma
telecine room   téléciné (fam.)
     Salle réservée à la projection des films cinématographiques pour la télévision.

                     INS
     V. aussi *film chain*

telenews   téléactualités
television news   téléjournal (CAN)
TV newscast   journal télévisé
Nouvelles télévisées.

                     PRO
     V. aussi *newscast*

telephoto lens   téléobjectif
     Objectif permettant de prendre des photos d'objets ou de scènes éloignés.

                     EQU

teleprinter   téléimprimeur
     Appareil qui permet d'envoyer et de reproduire les dépêches au moyen d'un clavier dactylographique.

                     PRO   GES

teleprompter   télésouffleur
     Appareil qui reproduit, par un jeu de miroirs, le texte d'une émission à l'intention des participants. Le télésouffleur mécanique à rouleaux est aujourd'hui remplacé par le télésouffleur électronique (à écran cathodique).

                     EQU

television animation   animation télévisuelle
    Travaux d'animation faits pour la télévision sans support
filmique.

                                    MES   PRO

television camera   télécaméra
                                    caméra de télévision
    Caméra électronique servant à la prise de vues en télévision.

                                    EQU

television fan   téléphile
television enthusiast
    Adepte passionné de la télévision.

                                    PRO

television film   téléfilm
TV film
    Film spécialement conçu pour la télévision.

                                    PRO   MES

television film chain   chaîne de télécinéma
    Ensemble des appareils nécessaires à la projection d'un
film à la télévision.

                                    EQU

television forum   télédébat
    Émission de discussion sur un sujet d'actualité ou scientifique entre experts ayant des points de vue différents.

                                    PRO

television programming   programmation télévisuelle
    Ensemble des émissions présentées à la télévision.

                                    PRO

television sound pick-up   prise de son-télévision
    Opération qui consiste à capter la partie sonore d'une émission de télévision.

    MES

television receiver   poste de télévision
television set   téléviseur
TV set
    Appareil servant à recevoir les émissions de télévision.

    EQU

television studio   studio de télévision
    Local où sont réalisées les émissions de télévision.

    INS

test pattern   mire de réglage
test chart
    Dessin de forme géométrique passant à l'écran et servant à divers réglages techniques.

    EQU

test signal   signal d'essai
    test
    Signal préliminaire visant à en déterminer la qualité en vue d'un enregistrement.

    INS

texture lighting   éclairage texturé
    Genre d'éclairage qui fait ressortir la texture des objets.

    DEC

theme song   leitmotiv
    Mélodie principale d'un film ou d'une comédie musicale.

    MES

thigh shot plan américain
plan-cuisses
Plan où les personnages sont pris à mi-cuisses.
MES
V. aussi *close medium shot*

three shot plan de trois personnages
Plan composé avec trois personnages.
MES

thriller émission d'épouvante
horror program
Émission visant à susciter de fortes émotions de peur, d'épouvante.
PRO

thrown-in (n.) rappel
Brève mention qui interrompt un reportage à des fins publicitaires ou autres.
PRO

thumbnail sketch croquis rapide
thumbnail esquisse
Dessin sommaire préparant le scénario-maquette.
PRO

tight framing cadrage serré
1° Composition d'image où le sujet occupe tout l'espace du plan.
MES
cadrage surchargé
2° Composition d'image où il y a excès d'éléments composants.
MES

tilting   bascule (n.f.)
    Action de déplacer la caméra sur son axe par un mouve-
ment de bas en haut ou de haut en bas.
MES

tilt (to)   panoramiquer (gén.)
                     verticalement
                     basculer
    Déplacer la caméra sur son axe par un mouvement de bas
en haut ou de haut en bas.
MES

tilt   panoramique vertical
tilt shot
pan-up
pan-down
    Prise de vues par un mouvement de bascule vertical de la
caméra.
MES

time buyer   acheteur-temps
    Dans une agence de publicité, personne responsable de
l'achat du temps d'antenne aux stations de radio et de télévision.
GES

time counter   compte-minutes
    Dispositif sur un magnétoscope qui mesure la durée du
matériel enregistré.
EQU

time lapse chronocinématographie
prise de vues image
par image
    Procédé de prise de vues au ralenti permettant de reproduire le mouvement à l'accéléré lors de la projection.
MES
    V. aussi *stop motion*

time-lapse projection accéléré (n.m.)
    Effet d'accélération produit par une prise de vues image par image.
MES

time slot créneau
    Période de l'horaire réservée à un usage déterminé.
PRO
    V. aussi *position*

timing chronométrage
    Action de délimiter la durée des divers éléments qui composent une émission.
MES

title-card carton-titre
    Carton sur lequel on imprime les titres.
MES

title-change device dispositif de défilement des
titres
    Tout dispositif qui permet de faire se succéder les titres à l'écran.
EQU

title drum tambour à titres
tambour-générique
    Cylindre sur lequel on inscrit les mentions au générique.
EQU

title role   rôle titre
 Rôle qui donne son nom à une dramatique.
         MES

toggle   traverse (n.f.)
 Élément de renforcement d'un châssis qui relie horizon-
talement les montants.
         DEC

tongue   flèche
boom
 Partie d'une grue qui sert à porter quelque chose.
         EQU

tonguing   trajectoire (n.f.)
 Mouvement de caméra combinant le travelling et le panoramique, effectué à l'aide d'une grue.
         MES

track   patience
 Rail sur lequel on fait glisser un rideau.
         DEC

traffic   trafic-émission
 Ensemble des signaux acheminés sur les différents circuits pour produire le programme.
         GES

trailer   bande-annonce
promotion trailer
 Séquence ou plans extraits d'une émission pour en faire
l'annonce.
         PRO

transcript   audioscript (n.m.) (néol.)
En radiotélévision, copie écrite intégrale du contenu d'une émission telle qu'elle est passée à l'antenne; version écrite d'une interview ou d'un reportage.

MES   PRO

transcription   transcription
Enregistrement sur disque ou sur bande magnétique destiné fondamentalement à la diffusion sur les ondes.

PRO

transitional effects   ponctuation
signes de ponctuation
Effets spéciaux servant à marquer les intervalles ou les transitions dans le déroulement d'une émission.

MES

transmitted light   lumière rayonnée
Lumière qui émane du sujet et captée par la caméra.

DEC

transmitter   émetteur
Installation qui permet d'émettre des signaux de radio ou de télévision pour desservir un territoire donné.

INS

transmitter power   puissance d'un émetteur
Capacité d'un émetteur déterminant son rayonnement, généralement exprimée en watts ou en kilowatts.

INS

transparent overlay   transparent superposable
Genre d'illustration où les éléments sont placés sur plusieurs pellicules de matière plastique qui se superposent et se complètent.

EQU

transparent slide projector   diascope
slide projector
   Appareil servant à la projection de diapositives.

   EQU

traveler curtain   rideau à la grecque
   Rideau qui s'ouvre par le milieu.

   DEC

tripod   trépied
tripod dolly   socle-trépied
   Support de caméra à trois points d'appui.

   EQU

trouble shooter   dépanneur
   Technicien spécialisé dans les réparations d'urgence de l'équipement.

   MET

trucking shot   travelling latéral
transverse camera move
trucking
   Mouvement de la caméra qui se déplace parallèlement avec le sujet.

   MES

turn (to) off   éteindre
   Mettre un récepteur hors circuit.

   EQU

turn (to) on   allumer
   Mettre un récepteur en circuit.

   EQU

turn-table   platine
   table de lecture
   Plateau sur lequel repose le disque dans un tourne-disque.

   EQU

turret
    V. *lens turret*

TV   télé
                                    TV (rare)
    Abréviation courante de *television.*
                                    GES

TV broadcasting   télédiffusion
    Diffusion d'émissions par la télévision.
                                    GES

TV clip   téléinsert (n.m.) (néol.)
    Séquence télévisée susceptible d'être insérée dans un
ensemble visuel quelconque.
                                    MES

TV drama   dramatique (n.f.)
        Théâtre télévisé.
                                    PRO
        V. aussi *drama*

TV opera   opéra télévisuel
                                    téléopéra (néol.)
        Opéra conçu spécialement pour la télévision.
                                    PRO

tweeter   haut-parleur aigu
        Haut-parleur qui reproduit médiocrement les fréquences
graves, mais très bien le registre aigu.
                                    EQU

two-fold (n.)   paravent
        Élément de décor constitué de deux châssis rattachés
entre eux et disposés en angle.
                                    DEC
        V. aussi *folding screen*

two-shot   plan de deux
                                     plan à deux personnages
                                     plan-duo (néol.)
Plan comprenant deux personnages.
                    MES

two-way (adj.)   en duplex
Se dit d'une liaison télévision aller-retour.
                    INS

two-way link   duplex (n.m.)
Liaison radiotélévision permettant l'intercommunication.
                    INS

UHF   ultra-haute fréquence
    Ondes décimétriques dont la fréquence varie de 300 MHz
à 3GHz.

INS

unattended (adj.)   automatique
                                  autonome
                                  sans surveillance
    Se dit d'un appareil qui fonctionne sans opérateur.

INS

under   manque
    Indication faite au journal de bord pour une émission qui
ne dure pas assez longtemps pour occuper son créneau en
entier.

PRO

understudy   doublure
    Artiste qui étudie le rôle d'une vedette pour pouvoir la
remplacer au besoin.

MET

unit   unité
    Tranche de temps-émission où le commanditaire est auto-
risé à passer deux minutes d'annonces publicitaires.

GES

unit administrator   administrateur de section
unit manager   chef de budget
Personne qui, dans un secteur de la production, est chargée de la gestion des crédits.
GES

unlock (to)   décaler
1° Action de débloquer certains mécanismes d'appareils portatifs (magnétoscopes, magnétophones, etc.), au moment de s'en servir.
déverrouiller
2° Action de rendre indépendants l'un de l'autre certains éléments d'un circuit électrique ou électronique en les débranchant du circuit qui les synchronise.
EQU

unmarried sound   son dissocié
Son ajouté à une trame visuelle mais qui provient d'un autre support.
INS

unrehearsed show   émission improvisée
émission sans répétition
Émission qui passe à l'antenne sans répétition.
PRO
V. aussi *ad lib program*

unsalable program   émission hors marché
Émission dont la vente est interdite.
GES

unwanted (adj.)   parasite (adj.)
insolite
Adjectif qualifiant des effets indésirables.
INS

unwanted out of focus   flou insolite
                                    image floue
    Mise hors foyer involontaire ; mauvaise mise au point.
                INS

unwanted super   surimpression parasite
    Surimpression non voulue de deux images.
                INS

updating   mise à jour
    Action d'ajouter à un bulletin d'information les éléments
qui tiennent compte de l'évolution effective des événements.
                PRO

value   valeur
En télécouleur, écart progressivement déterminé par la quantité de blanc ou de noir mélangée à la teinte pure.

INS

variety   variétés (n.f. pl.)
Genre d'émissions de divertissement léger composées surtout de musique populaire et de numéros de music-hall.

PRO

variety show   spectacle de variétés
variety program   émission de variétés
Émission de divertissement léger composée d'une suite de numéros : chansons, sketches, magie, etc.

PRO

vertical camera movement   travelling vertical
Prise de vues où la caméra se déplace en s'élevant ou en s'abaissant.

MES

VHF   très haute fréquence
Very High Frequency   hyper-fréquence
Gamme de fréquences allant de 30 à 300 MHz.

INS

video (adj.)   vidéo
image (de l')
Adjectif qualifiant les installations et les circuits relatifs à la transmission de l'image.

INS

videocassette recorder   magnétoscope à cassettes
cassette videorecorder
Magnétoscope fonctionnant à l'aide de bandes en cassettes.

EQU

videodisk   vidéodisque
Disque qui sert de support à l'enregistrement et à la conservation des images.

EQU

video engineer   technicien de l'image
Personne responsable de la qualité de l'image télévisuelle.

MET

video home system (VHS)   magnétoscope grand public
Magnétoscope pour usage domestique.

EQU

video relay link   liaison vidéo
Installation permettant la transmission d'un signal vidéo entre plusieurs points.

INS

video splicing tape   ruban à épisser (gén.)
Ruban autocollant servant à raccorder deux bouts de bandes magnétoscopiques.

EQU

video switching panel   pupitre d'aiguillage
video patch board   pupitre de commutation
    Sorte de tableau de bord où se font les commutations d'images et certains trucages électroniques.

INS

    V. aussi *switching system*

videotape   bande magnétoscopique
    Bande magnétique servant à la conservation des images de télévision.

EQU

videotape (to)   magnétoscoper
    Enregistrer au magnétoscope.

INS   MES

videotape cruiser   car de poche
    Petit car de reportage qui fait sur place l'enregistrement à l'aide d'un magnétoscope.

INS

videotape facilities   équipement de magnétoscopie
    Ensemble des installations nécessaires pour enregistrer les émissions sur bandes magnétoscopiques.

INS

videotape recorder   magnétoscope
    Appareil qui sert à l'enregistrement sur bande magnétique des images de télévision.

EQU

videotape recording   magnétoscopie
    1° Procédé qui permet d'enregistrer sur bandes magné-
tiques des émissions de télévision.

                    INS
                    enregistrement magnétosco-
                              pique
    2° Enregistrement fait par ce procédé.

                    MES   PRO

videotape room   salle de lecture
                    magnétoscopique
    Salle où l'on fait la lecture des bandes magnétoscopi-
ques.

                    INS

viewer   visionneuse
moviola (M)
    Dispositif qui permet au monteur de voir les images du
film qu'il doit monter.

                    EQU

viewer   téléspectateur
    Personne qui regarde la télévision.
                    PRO

view finder   viseur
    Dispositif de la caméra qui permet à l'opérateur de cadrer
son image.
                    EQU

view-finder hood   pare-lumière (n.m.)
    Dispositif protecteur qui empêche la lumière d'atteindre le
viseur de la caméra.
                    EQU

    V. aussi *teaser*

viewing　　　　　　　　écoute (de la télévision)
　　　　　　　　　　　　vision (tech.)
　　Action de regarder la télévision.
　　　　　　　　　　　　PRO

viewing habit　　　　　habitude d'écoute
viewing pattern　　　　habitude de vision
　　Façon dont une personne ou une population organise ses heures passées devant la télévision.
　　　　　　　　　　　　PRO

vision control room　　régie de l'image
　　Cabine où se contrôle la qualité de l'image.
　　　　　　　　　　　　INS

vision mixer　　　　　　mélangeur d'images
　　Appareil qui permet le mélange des signaux vidéo.
　　　　　　　　　　　　INS

voice over (V.O.)　　　voix hors champ (h.c.)
off camera voice
　　1° Voix superposée à une image sans que le locuteur paraisse à l'écran.
　　　　　　　　　　　　hors-champ (n.m.)
　　2° Procédé de superposition d'une voix hors champ.
　　　　　　　　　　　　MES

voice over　　　　　　　monologue intérieur
　　Procédé qui permet de communiquer les pensées d'un personnage alors que ses lèvres restent immobiles.
　　　　　　　　　　　　MES
　　V. aussi *off camera*

voice test　　　　　　　essai de voix
　　Petit exercice pour évaluer la portée de la voix des participants avant une émission (tribunes, débats, etc.)
　　　　　　　　　　　　MES

versatile

universel
multigenre (néol.)
complet

Se dit d'un artiste qui peut remplir des rôles de nature très différente ou exécuter des numéros qui exigent des talents variés.

PRO

voice report

reportage parlé
topo oral (fam.)

Compte rendu fait oralement par un reporter sur les lieux d'un événement.

PRO

VU meter
volume unit meter

vumètre

Compteur indiquant les niveaux relatifs des sons d'après les tensions électriques engendrées.

EQU

waist shot
plan-taille
plan-ceinture
plan rapproché
Plan où les personnages sont pris à partir de la taille.
MES
V. aussi *medium close-up*

walk through
répétition sans technique
Répétition en salle avec éléments de mise en scène où les comédiens ont encore le texte en main, sans installations techniques.

MES

walkway type grid
grille-passerelle
Plancher à claire-voie dans les cintres, sur lequel les machinistes peuvent marcher.
INS

wardrobe
service des costumes
wardrobe department
Service responsable de la conception, de la conservation et de l'utilisation des costumes.
DEC   GES

wardrobe mistress
costumière-chef
Cadre du service des costumes.
MET

warm-up (n.)   préspectacle
   Petit divertissement servi au public présent en studio,
avant l'émission.

                          PRO   GES

wash out (to)   noyer
   Faire disparaître l'image d'un écran par la lumière incidente.

                          INS

washroom attendant   préposé aux lavabos
   Préposé à l'entretien des salles de toilettes.

                          MET

watch (to)   regarder
   Suivre une émission de télévision.

                          PRO

wide-angle lens   objectif grand-angulaire
                                grand-angulaire (n.m.)
   Objectif mesurant 50 mm de diamètre pour la télévision.

                          EQU

wild sound   piste sonore autonome
   Trame sonore enregistrée indépendamment de l'image.

                          MES

wild wall   panneau mobile
   Élément de décor qu'on peut enlever sans bruit en cours
d'émission.

                          DEC

wing flat   châssis articulé
   Élément de décor à plusieurs sections reliées entre elles
de façon que le tout puisse se tenir sans appui.

                          DEC

winging   montage improvisé
ad-lib cutting
      Montage réalisé sous l'impulsion du moment, sans plan ni préparation.
                              MES

wipe   volet
      Terme générique désignant divers procédés de transition qui «effacent» l'image en décrivant habituellement une figure géométrique.
                              MES

wipe (expanding square)   volet quadrangulaire
      Procédé de transition où l'image apparaît dans un petit carré qui s'élargit progressivement aux dimensions de l'écran de télévision.
                              MES

wireless camera   caméra sans fil
back-pack camera   caméra émettrice
walkie-lookie (fam.)
creepie-peepie (fam.)
      Petite caméra autonome fonctionnant sur piles et transmettant son signal par ondes hertziennes.
                              EQU
      V. aussi *mobile camera*

wireless microphone   micro sans fil
      Microphone doté d'une antenne émettrice et fonctionnant sur piles.
                              EQU

women broadcast   émission féminine
      Émission destinée à l'auditoire féminin.
                              PRO

women interest program   magazine féminin
Émission à plusieurs rubriques destinées aux femmes.
PRO

woofer   haut-parleur grave
Haut-parleur qui reproduit particulièrement bien les fréquences graves.
EQU

work order   ordre de fabrication
ordre de travail
1° Commande faite aux divers services auxiliaires de la production pour l'obtention d'un bien ou d'un service.
ordre de mission
2° Document d'affectation d'une équipe de production.
GES

work print   copie de travail
Copie d'un film en cours de montage.
MES

workshop   atelier pratique
atelier d'application
Séance de travail où sont mises à l'essai des nouvelles techniques de production.
GES

wow   pleurage
Distorsion sonore causée par le déroulement d'un enregistrement à une vitesse qui s'écarte de la vitesse d'enregistrement.
INS

writer   écrivain de télévision
television writer
Professionnel de la rédaction de textes pour la télévision.
MET

youth broadcast   émission-jeunesse
 Émission conçue pour les auditoires de jeunes.
       PRO

zero in (to)   piquer sur
       zoumer sur (arg.)
 Opérer par voie optique un rapprochement très rapide du sujet capté par la caméra.
       MES

zoom-in   zoum avant
zoom-out   zoum arrière
 Rapprochement ou éloignement de la scène à téléviser au moyen d'une lentille à distance focale variable.
       MES

zoom lining-up   réglage du zoum
 Réglage du foyer en fonction d'un objectif à focale variable.
       EQU

zoom lens   zoum (fam.)
varifocal lens   objectif à (distance) focale
       variable
 Dispositif qui permet de rapprocher ou d'éloigner la scène captée sans déplacer la caméra.
       EQU

Décoration

accessoire ....property
accessoire de jeu ....hand props
accessoiriste ....property man
agrandissement ....blow-up
animation graphique ....technical animation
arrière-plan fixe ....still background

battement ....dutch man
béquille ....stage brace
bougie-pied ....foot-candle

cartes volantes ....flip cards
cartons à rabattre ....drop-in titles
cartons à relever ....drop-out titles
cartons volants ....drop titles
casserole (fam.) ....flood
changement à vue ....live-hand change
chas ....lash eye
châssis ....flat
châssis articulé ....wing flat
châssis mobile ....float
chef accessoiriste ....propsman crewleader
chef-décorateur ....art director
chef-électricien (FR) ....lighting director

éclairage concentré . . . . **spotlighting**
éclairage-costumes . . . . **clothes light**
éclairage croisé . . . . **crosslight**
éclairage d'appoint . . . . **accent light**
                                         booster light
éclairage diffus . . . . **flat lighting**
éclairage doux . . . . **flat lighting**
éclairage faible . . . . **low key**
éclairage général . . . . **flood lighting**
éclairage intense . . . . **high key**
éclairage ponctuel . . . . **spotlighting**
éclairage texturé . . . . **texture lighting**
éclairagiste . . . . **lighting director**
effets d'éclairage . . . . **special effects lighting**
élément autonome . . . . **set piece**
élément préfabriqué . . . . **built unit**
ensemblier . . . . **propsman specialist**
équerre . . . . **jack**
étalement des décors . . . . **in-setting**
extérieur (n.m.) . . . . **exterior**

fard paupières . . . . **eye shadow**
fenêtre non praticable . . . . **impractical window**
fenêtre praticable . . . . **practical window**
fer de maintien . . . . **brace cleat**
fil de manœuvre . . . . **draw line**
fil de serrage . . . . **lash**
fond . . . . **background**
fond de teint compact . . . . **pancake make-up**
fond neutre . . . . **limbo**
fresnel (n.m.) . . . . **fresnel spot**

générateur de brouillard .... **fog machine**
gradateur .... **dimmer**
gradateur électronique .... **electronic tube dimmer**
graphisme .... **graphics**
graphismes .... **graphic material**
graphiste .... **graphic artist**

habillage du décor .... **set dressing**

ignifugeage .... **flameproofing**
image fixe .... **still photography**
implantation .... **taping**
implantation des décors .... **stage setting**
intercalaire (n.m.) .... **gobo**
intérieur (n.m.) .... **interior**
intérieur type .... **stock interior**

lampe praticable .... **practical lamp**
lampe survoltée .... **photo flood**
lest (gén.) .... **sand bag** (spéc.)
lumière à contre-jour .... **edge light**
lumière artificielle .... **artificial light**
lumière du jour .... **natural light**
lumière intense .... **high-key light**
lumière rayonnée .... **transmitted light**
luminance .... **luminance**
luminosité .... **luminosity**
lux .... **lux**

manutention des décors .... scenery handling
maquette .... model set
menuisier de décor .... scenic carpenter
menuisier de plateau .... stage carpenter
meuble à briser .... breakaway furniture
microprojecteur .... inky-dinky
mise en place .... set-up (n.)
montage à chaud .... dry mount
                                dry mounting
mouchoir .... keystone
murale photographique .... photomural background

nègre (FR) .... cue card
                               gobo
nit (n.m.) .... nit
noir mat .... dead black
nuancier .... TV color chart

ombre paupières .... eye shadow

panneau mobile .... wild wall
pantalon .... backing
paravent .... folding screen
                               two fold
pare-lumière .... gobo
patience .... track
peintre-décorateur .... scenic artist

reflet . . . .**glare**
retour . . . .**return flat**
rideau . . . .**curtain**
                                      horizontal wipe
rideau à la grecque . . . .**traveler curtain**
rideau à la polichinelle . . . .**roll drop**
ruban-cache . . . .**masking tape**

sac à neige . . . .**snow bag**
sauterelle . . . .**lash cleat**
scénographie . . . .**design department**
                                      staging
scénothèque . . . .**design library**
serrage par fil . . . .**rope lashing**
service des costumes . . . .**wardrobe**
service scénographique . . . .**design department**
source principale d'éclairage . . .**key light**
spot . . . .**baby spotlight**
                                      baby spot
                                      spotlight
spot à réflecteur . . . .**ellipsoidal projection**
  ellipsoïde   **spot**

terrain . . . .**ground row**
tête . . . .**rail**
tirette . . . .**draw line**
toile de fond . . . .**background drop**
                                      backdrop
tonalité . . . .**key**

top-lumière . . . . **light cue**
traînée . . . . **floor light**
                                strip light
transformation rapide . . . .**quick scene changing**
  des décors
traverse . . . .**toggle**

verre à briser . . . . **breakaway glass**
volets . . . . **barn doors**

Équipement

acétate (n.m.) ....acetate
allumer ....**turn (to) on**
amorce initiale ....**front leader**
antenne en V ....**rabbit ear**
atténuateur ....**fader**

banc-titre ....**animation stand**
                             camera stand
bande........................**tape**
bande étalon ....**master tape**
bande magnétique ....**magnetic tape**
bande magnétoscopique ......**videotape**
bande vierge ....**raw tape**
baril à titres ....**drum**
batterie ....**chain**
bloc-commande de caméra ....**camera control unit**
bloc-vidéo portatif ....**portable video package**
bobine débitrice ....**feed reel**
                             supply spool
bobine réceptrice ....**take-up spool**
boîte à titres ....**shadow box**
boîtier ....**casing**
boom man (FR) ....**boom man** (fam.)
                             boom operator
bouton de mise au point ......**focusing knob**
bruit de collure ....**bloop**

cinécaméra .... motion picture camera
cinescope .... kinescope
circuit (en) – EC .... on-off
   hors-circuit – HC
claque de collage .... bloop
claque de collage .... bloop
claquette .... clap-sticks
                          clapper-board
collage .... splicing
colleuse .... splicer
                          tape splicer
combiné (n.m.) .... handset
combiné micro-casque .... headphones
commande du pupitre-son ..... audio console operation
compte-minutes .... time counter
corbeille à pellicule .... cutting basket
cordon .... lanyard attachment

décaler .... unlock (to)
dent d'entraînement .... sprocket
déroulant .... crawl-title device
déverrouiller .... unlock (to)
diapositive sonorisée .... sound slide
diascope .... transparent slide projector
dispositif de défilement .... title-change device
   des titres
disque .... record
disque de bruitage .... sound effects record
duplicateur de cassettes ...... cassette reproducer

écho magnétique . . . . **print through**
écran . . . . **screen**
écran de contrôle . . . . **monitor**
écran d'épreuve . . . . **preview screen**
écran de projection . . . . **projection screen**
écran-témoin . . . . **monitor**
                       camera monitor
écran-témoin de plateau . . . . **floor monitor**
écran translucide . . . . **rear-projection screen**
effet d'écho . . . . **print through**
enduit magnétique . . . . **tape coating material**
enregistrement . . . . **record**
   phonographique
épiscope . . . . **opaque projector**
équipement . . . . **equipment**
équipement de . . . . **videotape facilities**
   magnétoscopie
équipement portable . . . . **portable equipment**
équipement télécommandé . . . . . **remote-control equipment**
éraflures . . . . **abrasions**
éteindre . . . . **turn (to) off**

film d'archives . . . . **archive film**
flèche . . . . **boom arm**
                       tongue
foyer . . . . **focus**

galet . . . . **sprocket wheel**
galet presseur . . . . **pressure roller**

girafe (n.f.) .... **giraffe boom**
glissement .... **slippage**
gradateur .... **fader**
gradateur automatique .... **autotransformer dimmer**
grand angulaire (n.m.) .... **wide-angle lens**
gravure universelle .... **stereo playable on mono**
groupe électrogène .... **generating unit**
grue .... **boom dolly**
grue de caméra .... **camera crane**

haut-parleur aigu .... **tweeter**
haut-parleur grave .... **woofer**
hilariomètre .... **laughmeter**

imprégnation magnétique ...... **print through**
incorporé .... **built-in** (adj.)
incrustation-couleur .... **chroma key**
indication de chevrotement .... **flutter meter**
intégré .... **built-in** (adj.)

lampe d'appoint .... **accent light**
levier de manœuvre .... **panning handle**
levier de réglage d'angle .... **angle adjustment handle**
lumière incidente .... **incident light**
                               stray light
lumière parasite .... **stray light**

magasin (anglicisme) .... magazine
magnétophone .... tape recorder
magnétophone à bobines....... reel-to-reel tape recorder
magnétophone à cartouche .... cartridge tape recorder
magnétophone à deux pistes ... dual track recorder
magnétophone à quatre .... quarter-track tape
   pistes   recorder
magnétophone bipiste .... dual track recorder
magnétophone demi-piste ...... dual track recorder
magnétophone quadri-piste .... quarter-track tape recorder
magnétoscope à cassettes ..... videocassette recorder
magnétoscope grand public .... video home system
magnétoscope mobile .... mobile videotape
marche-arrêt .... on-off
matériel .... equipment
matériel d'enregistrement ...... recording equipment
mégatype .... oversize typewriter
micro-boutonnière .... lapel-mike
micro-cravate .... lavaliere microphone
micro-d'ordres .... cue mike
micro-perche .... boom microphone
microphone à bobine .... dynamic microphone (US)
   mobile   moving coil microphone (GB)
microphone à main .... hand-held microphone
microphone baladeur .... roving mike
microphone de proximité ...... close talk microphone
microphone de .... broadcast microphone
   radiotélévision
microphone électro- .... dynamic microphone (GB)
   dynamique
microphone sur pied .... standing mike
micro-plastron .... chest microphone
micro sans fil .... wireless microphone
micro-sautoir .... lavaliere microphone

mire de réglage ....test pattern
mire des gris ....grey scale test card
mise au foyer ....focusing
mise au point ....focusing
monture à baïonnette ....bayonet mount

nuancier ....colour chart
nuquière ....neck pad

objectif à focale variable ....zoom lens
objectif de reportage ....field lens
objectif grand-angulaire ....wide-angle lens
objectif ultra-grand-angulaire ...extremely wide angle lens
omnibus ....bus

paille (magnétique) ....drop-out (n.)
parc des cars ....mobile unit fleet
pare-lumière ....teaser
                             view-finder hood
perche ....boom microphone
perche-micro ....mike boom
perchiste ....boom man (fam.)
                             boom operator
perforation ....sprocket hole
   d'entraînement
plage ....record band
plate-forme de caméra ....camera platform

platine ....turn-table
poste de télévision ....television receiver
poussière ....dirt
profondeur de foyer ....depth of focus
projecteur par transparence ....rear screen projector
                              process projector
projection de face ....front projection
pupitre ....hod
                              console
pupitre de lecture ....script rack
pupitre de trucage ....special effects generator
pupitre-son ....audio console

raccord sonore défectueux .....blooping notch
rebobineuse ....rewinder
récepteur de contrôle ....monitor
récepteur de contrôle final .....master monitor
réembobineuse ....rewinder
réglage ....adjustment
réglage du zoum ....zoom lining-up
régler ....adjust (to)
relais mobile ....portable relay
relève (de) ....standby (adj.)
rétroprojecteur ....overhead projector
roulette ....caster wheel
ruban ....tape
ruban à épisser ....splicing tape
                              video splicing tape
ruban magnétique ....magnetic tape
ruban vierge ....raw tape

saturation .... chroma
secours (de) .... standby (adj.)
signal «prêt» .... ready cue
sillon fermé .... stopping groove
socle .... camera mount
socle-trépied .... tripod
son synchrone .... sync sound
synchronisation .... sync variation
  instable

table de défilement .... tape deck
table de lecture .... turn-table
tambour .... sprocket wheel
tambour à titres .... title drum
tambour-générique .... title drum
télécaméra .... television camera
téléimprimeur .... teleprinter
téléobjectif .... telephoto lens
télésouffleur .... teleprompter
télévision en noir et blanc ..... black and white television
témoin .... monitor
témoin-commentateur .... jeep monitor
témoin d'antenne .... line monitor
témoin de plateau .... floor monitor
tête basculante .... panning head
tête d'effacement .... erase head
tête d'effacement général ..... full-tape erase head
tête panoramique .... panning head
tireuse optique .... optical printer
t/min .... R.P.M.
tourelle .... lens turret
tourniquet .... flipper

Gestion

acheteur-médias . . . . **media buyer**
acheteur-temps . . . . **time buyer**
administrateur de section . . . . . . **unit administrator**
affranchissement des droits . . . . **copyright clearance**
affranchissement des . . . . **music copyright**
    œuvres musicales   **clearance**
agence de distribution . . . . **syndicator**
agent d'affaires . . . . **talent agent**
aguiche . . . . **teaser ad**
alimenter . . . . **feed (to)**
annexe (n.f.) . . . . **tag**
annonce-amorce . . . . **teaser ad**
annonce-éclair . . . . **spot announcement**
apparition . . . . **exposure**
approvisionnement en films . . . . **film procurement**
artiste . . . . **artist**
artiste (gén.) . . . . **performer**
artiste exécutant . . . . **recording artist**
artiste invité . . . . **guest artist**
artistes . . . . **talent**
arts d'interprétation . . . . **performing arts**
arts du spectacle . . . . **performing arts**
atelier d'application . . . . **workshop**
atelier pratique . . . . **workshop**
auditionner . . . . **audition (to)**
auditoire . . . . **audience**
autoréclame . . . . **promo**
autorisation . . . . **license to perform**
avant-première . . . . **preview**

banc d'essai . . . . experimental program
bande annonce . . . . preview
bande génératrice . . . . master
                                       master tape
bande-témoin . . . . log tape
bloc d'émissions . . . . program package
bout d'essai . . . . television test
bout d'essai . . . . screen test (spéc.)
bureau des droits . . . . copyright clearance
   d'auteur   office

cachet . . . . fee
cachet de dédommagement . . . . standby fee
cachet de redevance . . . . step-up fee
cachet excédentaire . . . . overscale payment
cachet d'attente . . . . lay-over fee
cahier de presse . . . . press kit
cession de droit . . . . assignment of right
chef de budget . . . . unit administrator
chef de programme (FR) . . . . program supervisor
chef de section . . . . budget unit head
   budgétaire (CAN)
chef du Service de . . . . casting director
   distribution   talent director
citation . . . . award
clientèle . . . . circulation
cocommanditaire . . . . co-sponsor
                                     alternate sponsor
cocommandite . . . . co-sponsorship
commanditaire . . . . sponsor
commandite . . . . sponsorship
commandite partagée . . . . co-sponsorship

contractuel (n.) . . . . .contract employee
contrat d'exclusivité . . . . .exclusive contract
contrôleur délégué . . . . .contractor
coordination du . . . . .program clearance
   trafic-émission
coproduction . . . . .co-production
cote brute .gross rating point
courrier des auditeurs . . . . .audience mail

déborder . . . . .overrun (to)
décrocher .black out (to)
demande d'affran- . . . . .request for copyright
   chissement   clearance
desservir . . . . .serve (to)
disque du commerce . . . . .commercial record
distribution . . . . .casting
domaine public . . . . .public domain
droit d'antenne . . . . .broadcasting right
droit de diffusion . . . . .broadcasting right
droit de priorité . . . . .right of preemption
droits d'affranchissement . . . . . .clearance rights
droits d'auteur . . . . .royalties
droits de représentation et . . . . .performing rights
   d'exécution
droits de représentation . . . . .public performing right
   publique
droits de reproduction . . . . .mechanical (reproduction)
   mécanique   rights
droits dérivés . . . . .ancillary rights
                            derived rights
droit d'utilisation . . . . .non-broadcast rights
   hors antenne

droits d'exécution publique .... public performing rights
droits musicaux .... music license fees
music rights
droits voisins .... neighbouring rights

émission .... program
émission à créneaux .... spot carrier program
émission commanditée .... sponsored program
émission hors marché .... unsalable program
engagement .... booking
enregistrement d'antenne ...... off-air recording
enregistrement en maraude .... pirate recording
enregistrement éphémère ...... ephemeral recording
enregistrement illicite .... pirate recording
enregistrement pirate .... pirate recording
entreprise publique .... public carrier
de télécommunications
équipement .... equipment
être en attente .... standby (to be on)
excédent .... over
excéder .... overrun (to)
exécutant (gén.) .... performer
exécution .... performance
exercice du droit de priorité .... preemption
exploitation du réseau .... network operation

film annonce .... preview

générique . . . . credits
grands droits . . . . grand rights

heures d'antenne . . . . broadcasting time
                                   listening period
heures de pointe-radio . . . . peak listening period
heures de pointe-télévision . . . . . peak viewing period
homologué . . . . staff (adj.)
horaire libre (à) . . . . self-assigning
hors antenne . . . . further use

indicatif commercial . . . . sponsor identification
indicatif de commandite . . . . sponsor identification
indicatif-réseau . . . . network identification
informations-circuit . . . . syndicated news
interprétation . . . . performance
interprète . . . . performer

licence . . . . license to perform
livre de bord . . . . log sheet

matériel . . . . equipment
mention au générique . . . . credit
mise en place . . . . run-down (n.)
mission . . . . outside duty
musique franche . . . . stock music

non commandé . . . .**on spec**

œuvre de commande . . . .**commissioned work**
œuvre protégée . . . .**copyright work**
opérations hors antenne . . . .**further use**
ordre de fabrication . . . .**work order**
ordre de mission . . . .**outside duty**
                    work order
ordre de travail . . . .**work order**
organisme de perception . . . .**performing rights**
   des droits   **society**

pause-indicatif . . . .**station break**
période de priorité-réseau . . . . . .**network option time**
période-réseau . . . .**network time**
personnel de plateau . . . .**floor crew**
petits droits . . . .**small rights**
pige (à la) . . . .**free-lance** (adj.)
plan d'archives . . . .**stock shot**
point de prise . . . .**pick-up point**
point de source . . . .**origination**
présentation commerciale . . . . . .**opening billboard**
                    opening signature
préspectacle . . . .**warm-up** (n.)
prestation . . . .**performance**
privé . . . .**private**
prix . . . .**award**
producteur . . . .**producer**
producteur délégué . . . .**executive producer**

production .... production
produire .... produce (to)
programme .... program
provenir .... originate (to)
public .... audience
public cible .... target audience
publicité compensée .... contra-account advertising
publicité de créneau .... slot advertising
publicité gratuite .... plug
publicité larvée .... plug
publicité-mystère .... teaser advertising
publicité non autorisée .... plug
publicité subliminale .... subliminal advertising

rabais de fréquence .... frequency discount
rabais pour libre .... run of schedule discount
    programmation
radiodiffuseur .... broadcaster
réalisateur .... producer
recruteur .... scout
redevance .... license fee
registre des émissions .... program log
                              log sheet
relations avec les artistes ...... artist relations
relations avec les .... artist relations
    collaborateurs artistiques
relève (de) .... standby (adj.)
répartition .... run-down (n.)
répartition des rôles .... casting
repère .... cue dot
représentation .... performance

responsable ....budget unit head
   gestionnaire (FR)
réunion de programmation .....program meeting
risque d'exécution ....risk performance
rôle accessoire ....bit
                            bit part

second rôle ....supporting part
secours (de) ....standby (adj.)
séquence-annonce ....preview
service (en) ....operation (in)
service des costumes ....wardrobe
source ....program origination
station de base ....owned and operated station
superviser ....supervise (to)
synopsis (n.m.) ....synopsis

talent ....talent
tantième ....royalty
                            step-up fee
tarif ....rate card
taxe ....license fee
télé ....TV
télédiffusion ....TV broadcasting
télévision de service public .....public service television
télévision d'essai ....experimental television
télévision par abonnement .....subscription television
télévision payante ....pay television
                            subscription television

télévision préenregistrée .... recorded-live television
temps d'antenne-station .... station time
temps-studio .... studio time
teneur canadienne .... Canadian content
tête d'affiche .... feature player
tous droits réservés .... copyright
trafic-émission .... traffic

unité .... part
                              unit
utilisation hors antenne .... post-broadcast use
utilité .... bit player

vedettariat .... star system
vedette .... feature player
                              star
vente sélective .... selective sale

Installations

acheminer	**feed (to)**
aire de rayonnement	**coverage area**
alimentation	**feed (n.)**
alimenter	**feed (to)**
aménagements	**facilities**
amorce de fin	**end leader**
amorce finale	**end leader**
antenne	**on air**
antenne collective	**community antenna**
antenne collective	**master antenna**
antenne commune	**master antenna**
antenne (d')	**off-air**
applaudimètre	**applause meter**
approvisionnement en films	**film procurement**
arroser	**cover (to)**
atténuateur	**fader**
audio	**audio**
audiovidéothèque	**audiovisual library**
auditorium	**audience studio**
automatique	**unattended**
autonome	**unattended**

baie de la régie	**control room window**
barre d'aiguillage	**switching bar**
barre de commutation	**switching bar**
bâti	**rack**

brancher ....patch (to)
brouillage ....jamming

cabine d'annonceur (CAN) ......announce booth
cabine d'interviews ....interview-size studio
cabine de présentation ....announce booth
cabine de programme (FR) .....announce booth
cadre ....rack
canal (CAN) ....channel
car de poche ....videotape cruiser
chaîne (FR) ....channel
chaîne ....network
chaîne éphémère ....hookup
chaîne temporaire ....hookup
chambre d'écho ....echo chamber
chef-opérateur du son (FR) .....sound engineer
                              audio engineer
chevrotement ....flutter
cinégraphier ....kinerecord (to)
cinémathèque ....film library
cintres ....flies
circuit d'entrée ....incoming line
circuit d'interphone ....intercom line
circuit (en) — EC ....on-off
    hors circuit — HC
circuit fermé ....closed circuit
colimaçon ....lead-out spiral
console ....console
contretype négatif ....dupe negative
coordination du ....program clearance
    trafic-émission

copie magnétique ....dubbing
cordon de raccordement ....patch cord
couvrir ....cover (to)
crépitement ....crackling noise

débarcadère ....docking area
décrocher ....black out (to)
dépôt de décors ....scene dock
diapothèque ....slide library
diathèque ....slide library
différé (n.m.) ....delayed broadcasting
difficultés techniques ....trouble
discothèque ....record library
disque père ....master disk
distorsion ....distortion
  électronique
distorsion optique ....distortion
distorsion sonore ....distortion
double bande (à) ....double system (adj.)
double piste (à) ....double system (adj.)
duplex (n.) ....two-way link
duplex (en) ....two-way (adj.)

écran d'antenne ....audience monitor
écran de repérage ....cue screen
effet de ronflement ....hum
effet microphonique ....microphonics
électricien ....group man
électrocinéma ....electronic video
                              recording

émetteur .... transmitter
émetteur-relais .... relay transmitter
émetteur-réseau de .... low power relay
   faible puissance   transmitter
enregistrement à .... single system
   bande unique
enregistrement .... single system
   monobande
enregistrement d'antenne ...... off-air recording
enregistrement-témoin .... aircheck
entreprise publique de .... public carrier
   télécommunications
entretien .... maintenance
E.R.F.P. .... low power relay transmitter
estompage .... smearing

facilités techniques .... facilities
fenêtre .... keyed insertion
fil de masse .... ground wire
fil de terre .... ground wire
film granuleux .... grainy film
filmothèque .... microfilm library
flou insolite .... unwanted out of focus
FM .... FM
foyer d'attente .... green room
friture .... frying noise

gradateur .... dimmer
                        fader

gradateur .... electronic tube
   électronique   dimmer
gril .... grid
grille-passerelle .... walkway type grid
groupiste .... group man

hyper-fréquence .... VHF

image (de l') .... video
image floue .... unwanted out of focus
incident technique .... technical defect
                            technical fault
incrustateur .... keyer
                            matting amplifier
incrustation .... keyed insertion
indicatif .... station identification
indicatif d'appel .... call letters
indicatif-réseau .... network identification
ingénieur du son (FR) .... sound engineer
                            audio engineer
insert (n.) .... insert
insolite .... unwanted
insonorisation .... soundproofing
insonoriser .... soundproof (to)
installations .... facilities
interphone .... intercom

jeu d'orgue .... lighting console

lampe-top . . . . flick light
liaison vidéo . . . . video relay link
ligne d'entrée . . . . incoming line
ligne de sortie . . . . outgoing line
loge de plateau . . . . quick-change room

machinerie des cintres . . . . fly system
magnétoscoper . . . . videotape (to)
magnétoscopie . . . . videotape recording
magnétothèque . . . . tape library
maintenance . . . . technical maintenance
marche-arrêt . . . . on-off
médaillon . . . . keyed insertion
                                    inset
mélangeur d'images . . . . vision mixer
micro-onde . . . . microwave
miroir argus . . . . one-way vision mirror
miroir diaphane . . . . one-way vision mirror
miroir d'observation . . . . one-way vision mirror
miroir semi-transparent . . . . one-way vision mirror
mixage . . . . dubbing
                                    re-recording
modulation d'amplitude . . . . amplitude modulation
modulation de fréquence . . . . . . frequency modulation
monochrome . . . . monochrome
montage électronique . . . . electronic montage
montage électronique . . . . inlay-overlay
musicothèque . . . . music library

négatif (n.m.) . . . . master disk
noyer . . . . wash out (to)

nuance .... hue
nuancier .... TV color chart

omnibus de mélange .... mixing bus
omnibus de pré-réglage .... preset bus
omnibus de trucages .... effects bus
ondes (en) .... on air
opérateur-son .... audio control man

parasite (adj.) .... unwanted
parasites .... interference
parasites atmosphériques ...... radiated interference
parasites industriels .... man made interference
papillotement .... flicker
pare-son .... gobo
passerelle .... catwalk
passerelle d'éclairage .... lighting catwalk
petit foyer .... green room
phare hertzien .... microwave tower
phonothèque .... sound library
photothèque .... still library
piste couchée .... magnetic stripe
plateau .... set
pleurage .... wow
point de source .... origination
polycopie magnétique .... dubbing
poste de commande .... control point
po/s .... i.p.s.
pouces par seconde .... i.p.s.

preneur de son .... audio operator
préréglage .... presetting
prise-micro .... microphone outlet
provenir .... originate (to)
puissance d'un émetteur ...... transmitter power
pupitre .... console
pupitre d'aiguillage .... switching system
 video switching panel
pupitre d'éclairage .... lighting console
pupitre de commutation .... switching system
 video switching panel
pupitre de la régie centrale ..... master control panel
pupitre de la régie finale .... master control panel
pupitre de mélange .... mixing panel
pupitre de mixage .... mixing panel
pupitre de régie .... production desk
pupitre-son .... audio console
 audio control console
pupitre de trucage .... special effects generator

raccorder .... patch (to)
radiotélévision .... broadcasting
 broadcasting corporation
 broadcasting system
 broadcaster
rayonnement d'une station ..... station coverage
rayonnement d'un réseau ...... network coverage
récepteur de contrôle final ..... master monitor
réception directe .... off air pick-up
réémetteur .... rebroadcasting station
régie .... control point

régie centrale (CAN) .... master control
régie de l'image .... vision control room
régie de studio .... control room
régie du son .... audio control room
régie mobile .... mobile control unit
régie finale (FR) .... master control
réinjection .... feed-back
relais .... feed
                              relay
                              relay station
relais hertzien .... microwave link
                              microwave relay
relais-réseau .... network feed
relayer .... relay (to)
relevé quotidien .... daily fault report
renforcement de puissance .... power increase
repère .... cue dot
réseau .... network
réseau d'ordres (FR) .... intercom
réserve .... stock shot library
rétroaction .... feed-back
robot .... cartridge
ronflement .... hum

salle de lecture .... videotape room
   magnétoscopique
salle de maquillage .... make-up room
salle de projection .... projection room
salle de rédaction .... newsroom
salle de repos .... lounge
salle des nouvelles .... newsroom
salle d'essayage .... fitting room

salle d'habillage .... **dressing room**
sans surveillance .... **unattended**
sas (n.m.) .... **sound lock**
satellite .... **satellite**
satellite artificiel .... **satellite**
satellite de télé- .... **communication satellite**
   communications
sautillement .... **jitter**
scintillement .... **flicker**
service (en) .... **operation (in)**
sifflement .... **hiss**
signal .... **feed**
                            signal
signal audio .... **audio signal**
signal d'entrée .... **incoming feed**
signal d'essai................ **test signal**
signal-réseau .... **network feed**
signal-son .... **audio signal**
sillon terminal .... **innermost recording groove**
son .... **audio**
son associé .... **married sound**
sondeur (FR).................. **audio operator**
son dissocié.................. **unmarried sound**
son étouffé .... **muffled sound**
sono .... **public address system**
sonorisation .... **public address system**
sonothèque .... **sound effects library**
station affiliée .... **affiliate**
                            affiliated station
station allophone .... **ethnic station**
station commerciale .... **commercial station**
station de base (R.C.) .... **master station**
                            owned and operated station
station de relais .... **relay station**

station indépendante .... independent station
station maîtresse .... master station
station-relais .... relay station
studio .... studio
studio-causerie .... talk studio
studio de bruitage .... sound effects room
studio de télévision .... television studio
studio public .... audience studio
studio reverbérant .... live studio
studio sourd .... dead studio
surimpression sonore .... sound on sound recording
surimpression parasite .... unwanted super

tableau d'affichage .... notice board
tableau de raccordement .... patch board
technicien du son (CAN) .... sound engineer
                                audio engineer
télécinéma .... film chain
                                telecine
télédistribution .... cable broadcasting
télévision par câble .... cable television
témoin lumineux .... tally light
très haute fréquence .... VHF
truqueur .... switching equipment
                                special effects operator
truqueur électronique .... matting amplifier

ultra-haute fréquence .... UHF

valeur .... **value**
vidéo .... **video**
voie (de communication) .... **cut bus**
  principale
voie de mélange .... **mixing bus**
voie de montage .... **cutting bar**
voie de préréglage .... **preset bus**
voie de trucages .... **effects bus**
voyant .... **pilot light**

zone d'ombre .... **poor reception area**

Métiers

accessoiriste . . . .**propsman**
adaptateur . . . .**adapter**
aiguilleur . . . .**switcher**
amuseur . . . .**entertainer**
animateur . . . .**emcee**
　　　　　　　　　　　　　　 moderator
　　　　　　　　　　　　　　 quiz master
animateur-graphiste . . . .**animator**
animateur matinal . . . .**morning man**
annonceur (CAN) . . . .**announcer**
annonceur sportif . . . .**sportscaster**
assistant à la production . . . .**script assistant**
assistant animateur . . . .**assistant animator**
assistant de production . . . .**production assistant**
assistant réalisateur . . . .**floor manager**
　　　　　　　　　　　　　　 production assistant

boom man (FR) . . . .**boom man** (fam.)
bruiteur . . . .**sound effects man**

câbliste . . . .**cableman**
cadreur (FR) . . . .**cameraman**
caméraman . . . .**cameraman**

caméraman de reportage .... field cameraman
caméraman-film .... film cameraman
cascadeur .... double
castelier (vx) .... puppeteer
chanteur de charme (sp.) ...... crooner
chanteur de variétés (gén.) ..... crooner
chef accessoiriste .... propsman crewleader
chef-animateur .... animation director
chef-décorateur .... art director
chef d'émission (FR) .... technical director
chef de section .... budget unit head
   budgétaire
chef de programme (FR) .... program supervisor
chef-électricien (FR) .... lighting director
chef-opérateur du son (FR) ..... sound engineer
chef-scénariste .... script editor
chroniqueur affilié .... syndicated columnist
chroniqueur agricole .... farm broadcaster
chroniqueur sportif .... sportscaster
cinécaméraman .... film cameraman
claquiste .... clapman
coiffeur .... hairdresser
coiffeur-perruquier .... hairdresser
commande du pupitre-son ..... audio console operation
commentateur .... commentator
commentateur auxiliaire .... color man
commentateur sportif .... sportscaster
communicateur .... broadcaster
concepteur .... idea man
correspondant à l'étranger ..... foreign correspondant
costumière-chef .... wardrobe mistress
couturière .... seamstress
créateur de coiffure .... hair stylist
créateur de costumes .... costume designer

décorateur .... set designer
décorateur-ensemblier .... art director
dépanneur .... trouble shooter
dessinateur de fonds .... layout designer
dessinateur-traitiste .... inker
dialoguiste .... dialogue writer
directeur de la photographie ... director of photography
directeur des programmes ..... program director
directeur de station .... station manager
directeur musical .... musical director
directeur technique (CAN) ...... technical director
documentariste .... documentary film-maker
double de figuration .... photographic double
double de substitution .... stand-in
doublure .... understudy
doublure-lumière .... stand-in

éclairagiste .... lighting director
écrivain de télévision .... writer
électricien .... juicer
                               group man
ensemblier .... propsman specialist

faire-valoir (n.m.) .... straight man
femme de télévision .... telecaster
figurant .... extra
                               supernumerary
figurant spécialisé .... special skill extra

gouachiste .... **opaquer**
graphiste .... **graphic designer**
groupiste (FR) .... **group man**

habilleur .... **dresser**
homme de télévision .... **telecaster**
hôte .... **emcee**
                              host

illustrateur sonore (FR) .... **sound effects man**
informateur .... **stringer**
ingénieur du son (FR) .... **sound engineer**
intervalliste................... **in-betweener**

journaliste de radiotélévision ... **broadcast journalist**
journaliste sportif .... **sportscaster**

laconiste .... **one liner**

machiniste .... **stage hand**
mannequin .... **model**
maquilleur .... **make-up artist**
marionnettiste .... **puppeteer**

matinier	**morning man**
meneur de jeu	**quiz master**
menuisier d'atelier	**shop carpenter**
menuisier de décor	**scenic carpenter**
menuisier de plateau	**stage carpenter**
metteur en ondes	**booth producer**
metteur en scène	**staging director**
moniteur	**coach**
monteur	**editor**
monteur de film	**film editor**

opérateur	**operator**
opérateur (cin.)	**cameraman**
opérateur-disque	**record operator**
opérateur-magnétique (FR)	**tape operator**
opérateur-son	**audio control man**

parolier	**lyricist**
peintre-décorateur	**scenic artist**
peintre de décors	**painter**
perchiste	**boom man** (fam.)
	boom operator
permanencier de nuit	**night duty officer**
perruquier (sp.)	**hairdresser** (gén.)
personnel de plateau	**floor crew**
photothécaire	**sound librarian**
pige (à la)	**free-lance** (adj.)
pigiste	**free-lance** (n.)
pilotage de chariot	**dolly pushing**

pilote ....dollyman
                                   pilot
pilote d'émission ....**anchor man**
preneur de son ....**audio operator**
préposé aux lavabos ....**washroom attendant**
présentateur ....**announcer**
                                   host
producteur (FR) ....**producer-director**
producteur ....**producer**
producteur délégué ....**executive producer**
programmateur ....**programmer**
projectionniste ....**projectionist**
prospecteur ....**scout**

rabatteur (CAN) ....**finder**
radiodiffuseur ....**broadcaster**
radiojournaliste ....**broadcast journalist**
radiotéléaste ....**broadcaster**
réalisateur ....**director** (US)
                                   producer (CAN)
réalisateur-producteur ....**director-producer**
recherchiste ....**program organizer**
                                   researcher
rédacteur ....**editor**
rédacteur d'enchaînements ....**continuity writer**
rédacteur de nouvelles ....**news editor**
rédacteur publicitaire ....**advertising copywriter**
régisseur ....**floor manager**
                                   production assistant
régisseur d'extérieur (FR) ....**finder**
reporter-caméraman ....**field cameraman**

reporter local . . . . **stringer**
responsable gestionnaire . . . . . . **budget unit head**

scénariste . . . . **continuity writer**
                      script writer
scénariste-conseil . . . . **story consultant**
scénographes . . . . **scenery personnel**
scripte (m. ou f.) . . . . **script assistant**
scripteur . . . . **script writer**
silhouette . . . . **special business extra**
sondeur . . . . **audio operator**
speaker (FR) . . . . **announcer**
superviseur de la production . . . **supervising producer**
superviseur d'émission (CAN) . . . **program supervisor**

technicien de l'image . . . . **video engineer**
technicien du son . . . . **audio control man**
                      sound engineer

téléaste . . . . **telecaster**
télécaméraman . . . . **television cameraman**
téléjournaliste . . . . **broadcast journalist**
trucman . . . . **special effects operator**
truqueur . . . . **special effects operator**
truquiste . . . . **special effects operator**

Mise en scène

accéléré (n.m.) .... **quick motion**
time-lapse projection
accessoire de jeu .... **hand props**
acteur naturel .... **non-professional actor**
acteur de second rôle .... **supporting actor**
action! .... **action!**
agrandissement .... **blow-up**
aiguillage .... **switching**
amorce .... **leader**
angle de prises de vues .... **camera angle**
angles de prises de vues ...... **angle shots**
animation télévisuelle .... **television animation**
antenne (passer à l') .... **air (to)**
apparition .... **exposure**
apport .... **contribution**
artiste .... **artist**
performer
assistant à la production ...... **script assistant**
assistant de production .... **production assistant**
attention! .... **stand by!**
audioscript (n.m.) .... **transcript**
audition .... **audition**
test
auditionner .... **audition (to)**

banc d'essai .... **experimental program**

bascule .... tilting
basculer .... tilt (to)
bout de film (fam.) .... film clip
bout d'essai .... audition test
                             screen test
bruitage(s) .... sound effects
bruit ambiant .... room noise
bruit de collure .... bloop
bruit de studio .... room noise
bruit parasite .... extraneous noise

cache (n.m.) .... mask
cache électronique (n.m.) ...... electronic matting
cadrage .... blocking
                             framing
                             picture composition
cadrage flottant .... loose shot
cadrage lointain .... loose shot
cadrage penché .... canted shot
                             dutch angle
cadrer .... block (to)
                             frame (to)
cadrez! .... frame!
cahier de musique .... sheet music
caméra (à la) .... on camera
caméra objective .... objective camera
caméra subjective .... subjective camera technique
cartes volantes .... flip cards
carton aide-mémoire .... cue card
cartons à rabattre .... drop-in titles
cartons à relever .... crop-out titles
cartons volants .... drop titles

copie finale ....final cut
corbeille à pellicule ....cutting basket
coupez! ....cut!
coupure ....cut
switch
coupure arbitraire ....jump cut
coupure franche ....straight switching
cut
coupure syncopée ....jump cut

décor musical ....musical background
décors naturels (en) ....on location
découpage ....continuity
shooting script
détourage ....cropping
diaporama ....slide show
diapositive de transition ....cut slide
directeur de la photographie ...director of photography
distribution ....cast
casting
doublage ....post-synchronization
dubbing

effets artificiels ....studio effects
effets sonores ....audio special effects
sound effects
effets spéciaux ....special effects
ellipse ....jump cut
émission (en cours d') ....on-the-air

émission improvisée .... **ad lib program**
unrehearsed show
enchaîné au flou .... **defocus transition**
enchaînement musical .... **music bridge**
enchaînements .... **continuity**
enchaînements musicaux ...... **continuity music**
en cours d'émission .... **on-the-air**
enregistrement .... **recording**
enregistrement à .... **single system**
  bande unique
enregistrement durable .... **permanent recording**
enregistrement fractionné ...... **stop tape**
enregistrement .... **videotape recording**
  magnétoscopique
enregistrement monobande .... **single system**
épilogue .... **after-show**
épreuves de tournage .... **rushes**
essai de voix .... **voice test**
étoffement .... **padding**
exécutant (sp.) .... **musical performer**
exécutant .... **performer**
expert .... **panelist**
extérieur (n.m.) .... **exterior**
location
extérieur (en) .... **location (on)**
extrait .... **excerpt**
film clip

faire la fermeture .... **sign off (to)**
faire la prise de vue .... **shoot (to)**
faire les cadrages .... **block (to)**
faire l'ouverture .... **sign on (to)**

faire passer à l'antenne ....air (to)
faire un fondu ....fade (to)
faire un travelling ....dolly (to)
faire-valoir (n.m.) ....straight man
fenêtre ....keyed insertion
fermeture ....sign-off (n.)
fermeture en fondu ....fade out
feuille de route (R.C.) ....cue sheet
　　　　　　　　　　　　　dope sheet
figurant ....supernumerary
　　　　　　　　　　　　　extra
filage ....run-through (n.)
fixe (n.m.) ....film clip
flash (n.m.) ....flash
fond musical ....background music
　　　　　　　　　　　　　musical background
fond sonore ....background sound
fondu (n.m.) ....fade
fondu analogique ....match dissolve
fondu au blanc ....fade-in
fondu au gris ....fade grey
fondu au noir ....fade-out
fondu enchaîné ....dissolve
fondu préréglé ....preset fade
fondu soutenu ....fade-under
fragment ....excerpt

générale (n.f.) ....dress rehearsal
générique ....credits
générique de fin ....crawl
générique des rôles ....cast title

générique de tête ....**billboard**
opening billboard
gros plan ....**close-up**
gros plan de tête ....**head shot**
gros plan d'objet ....**insert**

hors champ ....**off camera**
off mike
voice over

illustration sonore ....**background sound**
image (à l') ....**on camera**
image composite ....**composite shot**
multiple image
split screen
implantation.................**taping**
improvisation.................**ab lib**
improviser ....**ab lib (to)**
incrustation ....**keyed insertion**
indicatif musical ....**musical theme**
insert (n.m.) ....**insert** (n.)
film clip
cut-in
interprète ....**performer**
interpréter ....**perform (to)**
interview d'analyse ....**in-depth interview**
introduction ....**teaser**

lecture ....playback
lecture collective ....line rehearsal
leitmotiv ....theme song
liaisons ....continuity

magnétoscoper ....videotape (to)
marche arrière ....reverse motion
marionnettiste ....puppeteer
marque ....cue
marquer ....tape (to)
marquer un disque ....cue a record (to)
médaillon ....keyed insertion
                              inset
mélange......................mix
mention au générique ....credit
mettre en boîte (fam.) ....can (to)
metteur en ondes ....booth producer
mettre des repères ....tape (to)
mettre en conserve ....can (to)
mettre en ondes ....air (to)
mise au point suivie ....follow focus
mise en place ....studio set-up
mixage......................dubbing
                              mix
monologue intérieur ....voice over
montage ....editing
montage cinématographique ...film editing
montage électronique (gén.) ...electronic montage
                              inlay-overlay (sp.)
montage final.................final cut
montage improvisé ....winging
moteur!......................start!

mouvement de caméra .... **camera movement**
muet .... **silent**
musique à programme .... **incidental music**
musique d'atmosphère .... **background music**
                             mood music
musique de scène .... **incidental music**
musique de transition .... **continuity music**
musique d'évocation .... **mood music**
musique écrite .... **sheet music**
musique enregistrée .... **canned music** (fam.)
musique franche .... **stock music**

nature (fam.) .... **non-professional actor**
nègre (FR) .... **cue card**
noircir .... **blackout (to)**
numéro de variétés .... **specialty act**

œuvre de commande .... **commissioned work**
ouverture .... **sign-on** (n.)
ouverture en fondu .... **fade-in**

pano (fam.) .... **pan**
pano droite .... **pan right**
pano gauche .... **pan left**
panoramique .... **pan**

panoramique (vertical) ....**pan-up**
  ascendant
panoramique (vertical) ....**pan-down**
  descendant
panoramique droite ....**pan right**
panoramique filé ....**swish pan**
panoramique gauche ....**pan left**
panoramiquer ....**pan (to)**
panoramiquer verticalement ....**tilt (to)**
panoramique vertical ....**tilt**
parenthèse ....**cutaway**
paroles ....**lyrics**
participation ....**contribution**
partition ....**sheet music**
passer à l'antenne ....**on air (to be)**
passez! ....**flip!**
perspective sonore ....**sound perspective**
petit rôle ....**bit**
                         bit part
pilote d'émission ....**anchor man**
piquer sur ....**zero in (to)**
piste optique ....**optical sound track**
piste sonore autonome ....**wild sound**
plan ....**shot**
plan à deux personnages ......**two-shot**
plan américain ....**close medium shot**
                         thigh shot
plan-buste ....**bust shot**
                         medium close-up
plan-ceinture ....**waist shot**
plan-cuisses ....**thigh shot**
plan d'archives ....**stock shot**
plan de détail ....**insert**
plan de deux ....**two-shot**

plan de foule ....crowd shot
plan demi-ensemble ....medium long shot
         full shot
plan de réaction ....reaction shot
plan de rechange ....cover shot
plan détouré ....matte shot
plan de trois personnages .....three shot
plan-duo ....two-shot
plan en pied ....full shot
plan-épaules ....shoulder shot
plan figé ....frozen frame
plan général ....establishing shot
        master shot
plan-genoux ....close-medium shot
        knee-shot
plan incrusté ....matte shot
plan italien ....close medium shot
plan-miroir ....mirror shot
plan mi-cuisse (sp.) ....close medium shot
plan mixte ....composite shot
plan moyen ....medium shot
plan prolongé ....continuous shot
plan psychologique ....reaction shot
plan rapproché ....medium close-up
        waist shot
plan sur fond neutre ....limbo shot
plan-taille ....waist shot
plan-tête ....close-up
        head shot
plan très serré (fam.) ....big close-up
plan truqué ....effect shot
plongée ....high angle shot
point de prise ....pick-up point
pointer ....cue (to)

polyptique (n.m.) .... composite shot
                        split screen
ponctuation .... transitional effects
post-synchronisation .... dubbing
                        post-synchronization
précontrôle .... previewing
précontrôler .... preview (to)
premier montage .... rough cut
premier plan .... medium close-up
                        bust shot
premier rôle .... principal performer
prenez! .... take!
préréglage .... presetting
présence .... showmanship
présentation .... billboard
                        format
prise de son-télévision .... television sound pick-up
prise de vues .... field of view
                        shooting
prise de vues image .... stop motion
    par image   time lapse
production .... production
produire (se) .... perform (to)
profondeur de champ .... depth of field
profondeur de foyer .... depth of focus
projection par transparence .... back screen projection
projeté par transparence .... rear-projected
protagoniste .... principal performer

raccord arbitraire .... jump cut
raccord sonore défectueux ..... blooping notch
raccord syncopé .... jump cut

ralenti (n.m.) ....**slow motion**
réalisateur ....**director** (US)
                              producer (CAN)
réalisateur-producteur ....**director-producer**
réaliser ....**produce (to)**
réenregistrement ....**re-recording**
relais international ....**clean feed**
renversement de l'image ....**image inversion**
répétition ....**rehearsal**
répétition avec technique ......**camera rehearsal**
répétition sans technique ......**dry rehearsal**
                              walk through
répétition technique ....**camera rehearsal**
repiquage ....**dubbing**
retour en arrière ....**flash-back**
retournement de l'image ....**image inversion**
retrait ....**pull-off**
retransmission ....**pick-up** (n.)
                              live pick-up
                              remote
rideau ....**horizontal wipe**
risque d'exécution ....**risk performance**
rôle accessoire ....**bit**
                              bit part
rôle secondaire ....**bit**
                              bit part
rôle-titre ....**title role**
rythme ....**pacing**

scénario ....**continuity**
scripte ....**script assistant**
séance de mixage ....**dubbing session**

sec (n.) (FR) . . . . .cut
                         straight switching
second rôle . . . . .supporting part
sens du spectacle . . . . .showmanship
séquence . . . . .sequence
signaler . . . . .cue (to)
signal international . . . . .clean feed
signalisation . . . . .cueing
signature . . . . .signature
signes de ponctuation . . . . .transitional effects
son international . . . . .clear sound
son seul . . . . .wild sound
sortie . . . . .exit
souffler . . . . .prompt (to)
spectacle-solo . . . . .one man show
style subjectif de . . . . .subjective camera
    prise de vues   technique
superviser .supervise (to)
surimpression . . . . .superimposure
sur place (loc. subst.) . . . . .pick-up (n.)
synchro . . . . .lip sync
synchronisation gestuelle . . . . . .playback
synchronisation labiale . . . . .lip sync

téléfilm . . . . .television film
téléinsert . . . . .TV clip
temps de lecture . . . . .needle time
texte d'enchaînement . . . . .continuity
top . . . . .cue
top-lumière . . . . .light cue
top non verbal (gén.) . . . . .non-verbal cue
top sonore (sp.) . . . . .non-verbal cue

top visuel (sp.) ....non-verbal cue
tournage improvisé ....off-the-cuff shooting
tourner ....shoot (to)
tournez! ....change!
                           flip!
tourniquet...................clock wipe
                           flipper
trajectoire ....tonguing
transition musicale ....music bridge
transitions ....continuity
transparence ....process shot
travelling ....dolly shot
travelling arrière ....dolly out
travelling avant ....dolly in
travelling latéral ....trucking
travelling parallèle ....follow shot
travelling vertical ....vertical camera movement
très gros plan ....big close-up
trucage fantaisiste ....fantasy superimposure
trucages ....special effects

utilité ....bit player

vedette.......................star
vertical bas...................pan-down
vertical haut ....pan-up
visionnage (FR) ....screening
visionner ....monitor (to)
                           screen (to)

voix hors-champ . . . . **voice over**
volet . . . . **shutter**
. . . . **wipe**
volet électronique . . . . **electronic wipe**
volet en iris . . . . **iris wipe**
volet horizontal . . . . **horizontal wipe**
volet optique . . . . **optical wipe**
volet ouvrant . . . . **barn-door wipe**
volet quadrangulaire . . . . **wipe (expanding square)**
volet tamponneur . . . . **slide-through**
volet tourniquet . . . . **clock wipe**

zoum arrière . . . . **zoom-out**
zoum avant . . . . **zoom-in**
zoumer sur . . . . **zero in (to)**

Programmation

acheteur-médias .... media-buyer
actualité .... current events
actualités filmées .... film news
newsreel
agende de distribution .... syndicator
aguiche .... teaser ad
airs célèbres .... highlights
alimenter .... feed (to)
amateur .... amateur
amorce .... leader
amuseur .... entertainer
animateur-graphiste .... animator
animation .... animation
animation télévisuelle .... television animation
annexe (n.f.) .... tag
annexe du détaillant .... dealer tag
annonce de queue .... hitch-hike
annonce-éclair .... spot announcement
annonce initiale .... cow-catcher
annonce publicitaire .... commercial
annonces consécutives .... back-to-back commercials
annonces jumelées .... piggy-back commercials
annonces juxtaposées .... back-to-back commercials
annonceur (CAN) .... announcer
annonceur .... advertiser
annonceur commercial ...... commercial announcer
annoncier (rare) .... advertiser
apport .... contribution
artiste invité .... guest artist

artistes . . . . talent
assistance professionnelle . . . . . .announcer coaching
  aux annonceurs
assistant animateur . . . . .assistant animator
atteindre . . . . .reach (to)
audioscript (n.m.) . . . . .transcript
auditoire . . . . .audience
auditoire captif . . . . .captive audience
auditoire virtuel . . . . .potential audience
autopublicité . . . . .on-air promotion
autoréclame . . . . .promo
avant-première . . . . .preview

babillogramme . . . . .talk-show
banc d'essai . . . . .experimental program
bande-annonce . . . . .preview
                        trailer
bande-d'actualités . . . . .newsreel
bande génératrice . . . . .master
bande-témoin . . . . .log tape
bloc d'annonces . . . . .cluster
bloc d'émissions . . . . .program package
brève (n.f.) . . . . .flash
bulletin d'informations . . . . .news bulletin

cahier de presse . . . . .press kit
chef animateur . . . . .animation director
chef-scénariste . . . . .script editor
chroniqueur agricole . . . . .farm broadcaster
cinégramme . . . . .kinerecording
cinégraphie . . . . .kinerecording

cinégraphier .... kinerecord (to)
clientèle .... circulation
cocommanditaire .... co-sponsor
cocommandite .... co-sponsorship
collecte de l'information .... news gathering
comédie de situation .... situation comedy
commanditaire .... sponsor
commandite .... sponsorship
commandite alternée .... alternate sponsorship
commandite partagée .... co-sponsorship
commentaire .... play-by-play description
communicateur .... broadcaster
communications de masse .... mass communications
communiqué .... press release
complet .... versatile
concepteur .... idea man
concurrent .... contestant
conducteur .... line-up
conférence de presse .... press conference
contenu .... content
coproduction .... co-production
cote brute .... gross rating point
cote d'écoute .... rating
courrier des auditeurs .... audience mail
créneau .... time-slot position
créneau de pointe .... prime time slot
créneau publicitaire .... advertising slot
crochet d'amateurs .... amateur program
croquis rapide .... thumbnail sketch

déborder .... overrun (to)
dépassement .... run-over (n.)

dessins animés .... animations
                            cartoon
diaporama .... slide show
différé (n.m.) .... delayed broadcasting
direct (n.m.) .... live broadcasting
directeur des programmes ..... program director
documentaire dramatisé .... dramatized documentary
dramatique (n.f.) .... drama
                             TV drama
dramatique documentaire ...... dramatized documentary
dramatique légère .... light drama
dramatique policière .... detective story
                             crime drama
dramatisation .... dramatization
dramatiser .... dramatize (to)

écoute de la télévision .... viewing
émission .... broadcast
                            program
émission à créneaux .... spot carrier program
émission annulée .... preempted program
émission à participation .... public participating program
   directe
émission à participation .... audience participation show
   du public
émission commanditée .... sponsored program
émission continue .... non-stop program
émission d'affaires publiques ... public affairs program
émission de divertissement ..... entertaining program
émission déplacée .... preempted program
émission d'épouvante .... thriller
                            horror program

émission de prestige ....feature program
émission de remplacement .....standby program
émission de secours ....fill program
émission de service public .....public interest program
émission de télévision ....telecast
émission de variétés ....variety show
émission d'intérêt civique ......institutional broadcast
émission d'intérêt public ....institutional broadcast
émission d'intérêt social ......institutional broadcast
émission d'interviews ....interview show
émission distractive ....entertaining program
émission distrayante ....entertaining program
émission divertissante ....entertaining program
émission documentaire ....documentary program
émission en différé ....delayed broadcast
émission en direct ....live program
émission en jumelé ....simulcast (n.)
émission enregistrée ....recorded program
émission féminine ....women broadcast
émission improvisée ....ab lib program
émission-jeunesse ....youth broadcast
émission-locomotive ....lead-in program
émission musicale ....musical program
émission non commanditée ....sustaining program
émission policière ....mystery
émission politique ....political broadcast
émission pour tous ....family type program
émission prioritaire ....preempting program
émission publique ....audience show
                               audience program
émission récréative ....entertaining program
émissions agricoles ....farm broadcasting
émission sans répétition ....unrehearsed show
émission scolaire ....school broadcast

émissions rurales ....farm broadcasting
enchaînements ....continuity
enregistrement éphémère ......ephemeral recording
enregistrement ....videotape recording
  magnétoscopique
entrepreneur de spectacles ....entertainer
épilogue ....after-show
esquisse ....thumbnail sketch
excédant (adj.) ....over
excéder ....overrun (to)
exercice du droit de priorité ....preemption

faire un reportage ....report (to)
fait divers ....spot news
feuilleton.....................serial drama
  soap opera
film annonce ....preview
film d'archives................archive film
film industriel ....industrial (n.)
finaliste ....nominee
formule ....format

grand reportage ....special event broadcast
grands airs ....highlights
grille ....program schedule
  schedule

habitude d'écoute ....viewing habit

habitude de vision ....viewing habit
heures creuses ....off-peak period
heures d'antenne ....broadcasting time
heures d'écoute ....listening period
heures de grande écoute ....prime time
heures de pointe radio ....peak listening period
horaire ....program schedule
                             schedule
hors studios ....remote (adj.)

indicatif commercial ....sponsor identification
indicatif de commandite ....sponsor identification
indicatif musical ....musical theme
indice de satisfaction ....satisfaction rating
informateur ....stringer
informatif ....informative
informations ....news
informations-circuit ....syndicated news
insert publicitaire ....cut-in (n.)
instantanéité ....immediacy
interlude ....interlude
                             fill-in
interview ....interview
interview d'analyse ....in-depth interview
interview-variétés ....talk show

jeu (gén.) ....quiz (sp.)
jeu impromptu ....stunt
jeu télévisé ....give-away contest

mise à jour .... **updating**
mise en page .... **lining-up**
mise en place .... **run-down** (n.)
mise sur la sellette .... **hot-seat interviewing**
multigenre .... **versatile**
musique enregistrée .... **canned music**
                  stock music
musique sérieuse .... **serious music**

nouvelle-éclair .... **flash**
nouvelles .... **news**
numéro vedette .... **feature**

opéra télévisuel .... **TV opera**
orienté .... **biased**

participation .... **contribution**
participation du public .... **audience participation**
passer .... **carry (to)**
passer bien .... **come across well (to)**
période de priorité-réseau ...... **network option time**
période-réseau .... **network time**
pilónnage publicitaire .... **saturation spot campaign**
pilote d'émission .... **anchor man**
plan de marque (CAN) .... **pack shot**
plan étudié .... **beauty shot**

plan-paquet (FR) . . . . **pack shot**
plan-produit . . . . **beauty shot**
policier (n.m.) . . . . **detective story**
portée . . . . **reach** (n.)
postsynchronisation . . . . **dubbing**
pré-annonce . . . . **cow-catcher**
présentateur . . . . **announcer**
préspectacle . . . . **warm-up** (n.)
principaux extraits . . . . **highlights**
producteur . . . . **producer**
producteur (FR) . . . . **producer-director**
programmateur . . . . **programmer**
programmation . . . . **program fare**
                                                                        programming
programmation à . . . . **fixed time programming**
   créneaux fixes   **strip programming**
programmation élitique . . . . **high brow programming**
programmation en direct . . . . . . **live programming**
programmation intellectuelle . . . **high brow programming**
programmation télévisuelle . . . . **television programming**
programme . . . . **program**
                                                                        service
projection subliminale . . . . **subliminal projection**
public . . . . **audience**
public cible . . . . **target audience**
publicité compensée . . . . **contra-account advertising**
publicité de créneau . . . . **slot advertising**
publicité de prestige . . . . **institutional advertising**
publicité-mystère . . . . **teaser advertising**
public participant . . . . **participating audience**
public témoin . . . . **control group**

rabais de fréquence . . . . **frequency discount**
radiotéléjournalisme . . . . **broadcast journalism**

radiotéléviser .... simulcast (to)
radiotélévision .... community broadcasting
  communautaire
rappel .... thrown-in (n.)
récepteurs en service .... sets-in-use
réception collective .... group listening
réclame-annexe .... hooker
recruteur .... scout
rédacteur publicitaire .... advertising copywriter
réel (n.m.) .... live action
réémettre .... rebroadcast (to)
réémission .... rebroadcast
regarder .... watch (to)
relais .... feed (n.)
remodelage .... revamping
remodeler .... revamp (to)
remorque .... hitch-hike
répartition .... run-down (n.)
repiquage .... dubbing
répondant .... respondent
reportage .... remote (n.)
reportage électronique .... electronic news gathering
reportage hors série .... special event broadcast
reportage parlé .... voice report
reporter local .... stringer
retirer une émission .... cancel a program (to)
retransmission .... remote (n.)
                     live pick-up
retransmission sportive ...... sport remote
réunion de programmation .... program meeting
revue .... revue
ritournelle publicitaire .... jingle

saison .... season
scénario-maquette .... story board
schéma de roulement .... rotation pattern
sélection de textes .... script editing
sélectionner .... nominate (to)
séquence-annonce .... preview
série .... series
signal .... feed (n.)
signature .... closing billboard
                          signature
sommaire .... outline
sondage d'opinion .... opinion survey
source .... program origination
speaker (FR) .... announcer
spectacle de variétés .... variety show
spectacle-solo .... one man show
superproduction .... spectacular (n.)
sur-utilisé (adj.) .... overexposed (adj.)
synopsis (n.m.) .... outline
                          synopsis

tacticien .... media director
talent .... talent
talk-show .... talk-show
tampon .... feature
tarif .... rate card
téléactualités .... telenews
télédébat .... television forum
téléfilm .... television film
téléjournal (CAN) .... newscast
                          telenews
téléopéra .... TV opera

INDEX FRANÇAIS-ANGLAIS

alimentation . . . . **feed (n.)**
alimenter . . . . **feed (to)**
allumer . . . . **turn (to) on**
amateur . . . . **amateur**
aménagements . . . . **facilities**
amorce . . . . **leader**
amorce de fin . . . . **end leader**
amorce finale . . . . **end leader**
amorce initiale . . . . **front leader**
amuseur . . . . **entertainer**
angle de prise de vues . . . . **camera angle**
angles de prises de vues . . . . . . **angle shots**
animateur . . . . **emcee**
animateur . . . . **moderator**
animateur . . . . **quiz master**
animateur-graphiste . . . . **animator**
animateur matinal . . . . **morning man**
animation . . . . **animation**
animation graphique . . . . **technical animation**
animation télévisuelle . . . . **television animation**
annexe (n.f.) . . . . **tag**
annexe du détaillant . . . . **dealer tag**
annonce-amorce . . . . **teaser ad**
annonce de queue . . . . **hitch-hike**
annonce-éclair . . . . **spot announcement**
annonce initiale . . . . **cow-catcher**
annonce publicitaire . . . . **commercial**
annonces consécutives . . . . **back-to-back commercials**
annonces jumelées . . . . **piggy-back commercials**
annonces juxtaposées . . . . **back-to-back commercials**
annonceur (CAN) . . . . **announcer**
annonceur . . . . **advertiser**
annonceur commercial . . . . **commercial announcer**
annonceur sportif . . . . **sportscaster**

annoncier (rare)	advertiser
antenne	on air
antenne collective	community antenna master antenna
antenne commune	master antenna
antenne (d')	off-air
antenne en V	rabbit ear
antenne (passer à l')	air (to)
apparition	exposure
applaudimètre	applause meter
apport	contribution
approvisionnement en films	film procurement
arrière-plan fixe	still background
arroser	cover (to)
artiste	artist
artiste (gén.)	performer
artiste exécutant	recording artist
artiste invité	guest artist
artistes	talent
arts d'interprétation	performing arts
arts du spectacle	performing arts
assistance professionnelle aux annonceurs	announcer coaching
assistant à la production	script assistant
assistant animateur	assistant animator
assistant réalisateur	floor manager
atelier d'application	workshop
atelier pratique	workshop
atteindre	reach (to)
attention!	stand by!
atténuateur	fader
audio	audio
audioscript (n.m.)	transcript
audiovidéothèque	audiovisual library

audition . . . . **audition**
test
auditionner . . . . **audition (to)**
auditoire . . . . **audience**
auditoire captif . . . . **captive audience**
auditoire virtuel . . . . **potential audience**
auditorium . . . . **audience studio**
automatique . . . . **unattended**
autonome . . . . **unattended**
autopublicité . . . . **on-air promotion**
autoréclame . . . . **promo**
autorisation . . . . **license to perform**
avant-première . . . . **preview**

babillogramme . . . . **talk-show**
baie de la régie . . . . **control room window**
banc d'essai . . . . **experimental program**
banc-titre . . . . **animation stand**
camera stand
bande . . . . **tape**
bande-annonce . . . . **preview**
trailer
bande d'actualités . . . . **newsreel**
bande étalon . . . . **master tape**
bande génératrice . . . . **master**
master tape
bande magnétique . . . . **magnetic tape**
bande magnétoscopique . . . . **videotape**
bande-témoin . . . . **log tape**
bande vierge . . . . **raw tape**
baril à titres . . . . **drum**
barre d'aiguillage . . . . **switching bar**
barre de commutation . . . . **switching bar**

bascule .... tilting
basculer .... tilt (to)
bâti .... rack
battement .... dutch man
batterie .... chain
béquille .... stage brace
bloc-commande de caméra .... camera control unit
bloc d'annonces .... cluster
bloc d'émissions .... program package
bloc vidéo portatif .... portable video package
bobine débitrice .... feed reel
                                    supply spool
bobine réceptrice .... take-up spool
boîte à titres .... shadow box
boîtier .... casing
boom man (FR) .... boom man (fam.)
                                    boom operator
bougie-pied .... foot-candle
bout de film (fam.) .... film clip
bout d'essai .... audition
                                    test
                                    screen test (sp.)
bouton de mise au point .... focusing knob
brancher .... patch (to)
brève (n.f.) .... flash
brouillage .... jamming
bruitage(s) .... sound effects
bruit ambiant .... room noise
bruit de collure .... bloop
bruit de studio .... room noise
bruiteur .... sound effects man
bruit parasite .... extraneous noise
bulletin d'informations .... news bulletin
bureau des droits d'auteur ..... copyright clearance office

cabestan .... capstan
cabine d'annonceur (CAN) ...... announce booth
cabine d'interviews .... interview-size studio
cabine de présentation .... announce booth
cabine de programme (FR) ..... announce booth
câbliste .... cableman
cache (n.m.) .... mask
cache-collure (n.m.) .... blooping patch
cache électronique (n.m.) ...... electronic matting
cachet .... fee
cachet d'attente .... lay-over fee
cachet de dédommagement .... standby fee
cachet de redevance .... step-up fee
cachet excédentaire .... overscale payment
cadrage .... blocking
                           framing
                           picture composition
cadrage flottant .... loose shot
cadrage lointain .... loose shot
cadrage penché .... canted shot
                           dutch angle
cadre .... rack
cadrer .... block (to)
                           frame (to)
cadreur (FR) .... cameraman
cadrez! .... frame!
cahier de musique .... sheet music
cahier de presse .... press kit
caler .... lock (to)
caméra .... camera
caméra (à la) .... on camera
caméra à l'épaule .... hand-held television camera
caméra à poignée .... hand-held television camera
caméra autonome .... mobile camera

caméra de reportage . . . . hand-held television camera
caméra de réserve . . . . back-up camera
caméra de télécinéma . . . . film-pickup camera
caméra de télévision . . . . television camera
caméra émettrice . . . . wireless camera
caméra-film . . . . motion picture camera
caméraman . . . . cameraman
caméraman de reportage . . . . . . field cameraman
caméraman-film . . . . film cameraman
caméra objective . . . . objective camera
caméra portative . . . . portable camera
caméra sans fil . . . . wireless camera
caméra subjective . . . . subjective camera technique
caméra ultra-grand-angulaire . . . all-sky camera
canal (CAN) . . . . channel
capuchon . . . . cap
car de poche . . . . videotape cruiser
car de reportage . . . . mobile unit
carter . . . . casing
carter insonorisant . . . . blimp
cartes volantes . . . . flip cards
carton aide-mémoire . . . . cue card
cartons à rabattre . . . . drop-in titles
cartons à relever . . . . drop-out titles
cartons volants . . . . drop titles
carton-titre . . . . title-card
cascadeur . . . . double
casque . . . . headphones
casserole (fam.) . . . . flood
castelier (vx) . . . . puppeteer
centrage de têtes . . . . head tracking
cercle de confusion . . . . circle of confusion
cercle d'imprécision focale . . . . . circle of confusion
cession de droit . . . . assignment of right

chaîne (FR) .... channel
chaîne .... network
chaîne caméra .... camera chain
chaîne de télécinéma .... television film chain
chaîne éphémère .... hookup
chaîne temporaire .... hookup
chambre d'écho .... echo chamber
champ de vues .... field of view
champ (en) .... on mike
changement à vue .... live-hand change
chanteur de charme (sp.) ...... crooner
chanteur de variétés (gén.) ..... crooner
chargeur .... magazine
chariot .... dolly
chariot-grue à contre-poids .... counter weighted crane dolly
chariot .... crab dolly
   omnidirectionnel
chas .... lash eye
châssis .... flat
châssis articulé .... wing flat
châssis mobile .... float
chef accessoiriste .... propsman crewleader
chef animateur .... animation director
chef de budget .... unit administrator
chef-décorateur .... art director
chef d'émission (FR) .... technical director
chef de programme (FR) .... program supervisor
chef de section .... budget unit head
   budgétaire (CAN)
chef du Service de .... casting director
   distribution   talent director
chef-électricien (FR) .... lighting director
chef-opérateur du son (FR) ..... sound engineer
chef-scénariste .... script editor

chevalet	**flip stand**
chevrotement	**flutter**
chroniqueur affilié	**syndicated columnist**
chroniqueur agricole	**farm broadcaster**
chroniqueur sportif	**sportscaster**
chronocinématographie	**time lapse**
chronométrage	**timing**
chronométrage à rebours	**back timing**
cinécaméra	**motion picture camera**
cinécaméraman	**film cameraman**
cinégramme	**kinerecording**
cinégraphie	**kinerecording**
cinégraphier	**kinerecord (to)**
cinémathèque	**film library**
cinescope	**kinescope**
cintres	**flies**
circuit d'entrée	**incoming line**
circuit d'interphone	**intercom line**
circuit (en) – EC	**on-off**
hors circuit – HC	
circuit fermé	**closed circuit**
citation	**award**
claque de collage	**bloop**
claquette	**clap-sticks**
	clapper-board
claquiste	**clapman**
cliché	**gobo**
clientèle	**circulation**
cocommanditaire	**co-sponsor**
	alternate sponsor
cocommandite	**co-sponsorship**
coiffeur	**hairdresser**
coiffeur-perruquier	**hairdresser**
colimaçon	**lead-out spiral**

conduite (FR) .... continuity
cue sheet
dope-sheet
conduite d'éclairage .... light plot
conduite de montage .... camera log
conduite du caméraman .... camera script
conférence de presse .... press conference
conférence de production ...... production meeting
conférence d'étude (FR) .... production meeting
console .... console
construction des décors .... scenery construction
contenu .... content
contractuel (n.) .... contract employee
contrat d'exclusivité .... exclusive contract
contre-champ .... reverse shot
contre-champ de .... reaction shot
l'interlocuteur
contre-jeu .... playback
contre-plongée .... low-angle view
contre-poids .... counterweight
contretype négatif .... dupe negative
contrôleur délégué .... contractor
coordination du .... program clearance
trafic-émission
copie de travail .... work print
copie finale .... final cut
copie magnétique .... dubbing
coproduction .... co-production
corbeille à pellicule .... cutting basket
cordon .... lanyard attachment
cordon de raccordement .... patch cord
correspondant à l'étranger ..... foreign correspondent
costumière-chef .... wardrobe mistress
cote brute .... gross rating point

décor démontable ....demountable set
décor musical ....musical background
décor permanent ....permanent set
décor praticable ....practical set
décors naturels (en) ....on location
décor sur verre ....glass shot
découpage ....continuity
                            shooting script
découverte ....backing
décrocher ....black out (to)
demande d'affranchissement ...request for copyright
                            clearance
demi-jour (n.m.) ....low-key light
démonter les décors ....strike (to) the scenery
dent d'entraînement ....sprocket
dépanneur ....trouble shooter
dépassement ....run-over (n.)
dépôt de décors ....scene dock
déroulant ....crawl-title device
desservir ....serve (to)
dessinateur de fonds ....layout designer
dessinateur-traitiste ....inker
dessins animés ....animations
                            cartoon
détourage ....cropping
détourer ....close cut (to)
déverrouiller ....unlock (to)
dialoguiste ....dialogue writer
diaporama ....slide show
diapositive de transition ....cut slide
diapositive sonorisée ....sound slide
diapothèque.................slide library
diascope ....transparent slide projector
diathèque ....slide library

différé (n.m.) ....delayed broadcasting
difficultés techniques ....trouble
diorama ....diorama
direct (n.m.) ....live broadcasting
directeur de la photographie ...director of photography
directeur des programmes .....program director
directeur de station ....station manager
directeur musical ....musical director
directeur technique (CAN) ......technical director
discothèque ....record library
dispositif de défilement ....title-change device
  des titres
disque ....record
disque de bruitage ....sound effects record
disque du commerce ....commercial record
disque père ....master disk
distorsion électronique ....distortion
distorsion optique ....distortion
distorsion sonore ....distortion
distribution ....cast
                             casting
documentaire ....dramatized documentary
  dramatisé
documentariste ....documentary film-maker
domaine public ....public domain
doublage ....post-synchronization
                             dubbing
double bande (à) ....double system (adj.)
double de figuration ....photographic double
double de substitution ....stand-in
double piste (à) ....double system (adj.)
doublure ....understudy
doublure-lumière ....stand-in

dramatique (n.f.) . . . . **drama**
TV drama
dramatique documentaire . . . . . . **dramatized documentary**
dramatique légère . . . . **light drama**
dramatique policière . . . . **detective story**
crime drama
dramatisation . . . . **dramatization**
dramatiser . . . . **dramatize (to)**
draperie . . . . **drape**
droit d'antenne . . . . **broadcasting right**
droit de diffusion . . . . **broadcasting right**
droit de priorité . . . . **right of preemption**
droits d'affranchissement . . . . . . **clearance rights**
droits d'auteur . . . . **royalty**
droits de représentation . . . .**performing rights**
et d'exécution
droits de représentation . . . .**public performing rights**
publique
drois de reproduction . . . .**mechanical (reproduction)**
mécanique **rights**
droits dérivés . . . . **ancillary rights**
derived rights
droits d'exécution publique . . . .**public performing rights**
droit d'utilisation . . . . **non-broadcast right**
hors antenne
droits musicaux . . . . **music license fees**
music rights
droits voisins . . . . **neighbouring rights**
duplex (n.) . . . . **two-way link**
duplex (en) . . . . **two-way** (adj.)
duplicateur de cassettes . . . . **cassette reproducer**

écharpe .... corner block
écharpe diagonale .... diagonal brace
écho magnétique .... print through
éclairage à contre-jour .... rim lighting
éclairage à relief .... modeling light
éclairage concentré .... spotlighting
éclairage-costumes .... clothes light
éclairage croisé .... crosslight
éclairage d'appoint .... accent light
                                      booster light
éclairage diffus .... flat lighting
éclairage doux .... flat lighting
éclairage faible .... low key
éclairage général .... flood lighting
éclairage intense .... high key
éclairage ponctuel .... spotlighting
éclairage texturé .... texture lighting
éclairagiste .... lighting director
écoute de la télévision .... viewing
écran .... screen
écran d'antenne .... audience monitor
écran de contrôle .... monitor
écran d'épreuve .... preview screen
écran de projection .... projection screen
écran de repérage .... cue screen
écran-témoin .... monitor
                                      camera monitor
écran-témoin de plateau .... floor monitor
écran translucide .... rear-projection screen
écrivain de télévision .... writer
effet d'écho .... print through
effet de ronflement .... hum
effet microphonique .... microphonics
effets artificiels .... studio effect

effets d'éclairage	special effects lighting
effets sonores	audio special effects
	sound effects
effets spéciaux	special effects
électricien	juicer
	group man
électrocinéma	electronic video recording
élément autonome	set piece
élément préfabriqué	built unit
ellipse	jump cut
émetteur	transmitter
émetteur-relais	relay transmitter
émetteur-réseau de	low power relay
faible puissance	transmitter
émission	broadcast
	program
émission (en cours d')	on-the-air
émission à créneaux	spot carrier program
émission annulée	preempted program
émission à participation	public participating
directe	program
émission à participation	audience participation
du public	show
émission commanditée	sponsored program
émission continue	non-stop program
émission d'affaires publiques	public affairs program
émission de divertissement	entertaining program
émission déplacée	preempted program
émission d'épouvante	thriller
	horror program
émission de remplacement	standby program
émission de secours	fill program
émission de service public	public interest program
émission de télévision	telecast

émission de variétés . . . . **variety show**
émission d'intérêt civique . . . . . . **institutional broadcast**
émission d'intérêt public . . . . **institutional broadcast**
émission d'intérêt social . . . . **institutional broadcast**
émission d'interview . . . . **interview show**
émission distractive . . . . **entertaining program**
émission distrayante . . . . **entertaining program**
émission divertissante . . . . **entertaining program**
émission documentaire . . . . **documentary program**
émission en différé . . . . **delayed broadcast**
émission en direct . . . . **live program**
émission en jumelé . . . . **simulcast** (n.)
émission enregistrée . . . . **recorded program**
émission féminine . . . . **women broadcast**
émission hors marché . . . . **unsalable program**
émission improvisée . . . . **ab lib program**
⠀⠀⠀⠀⠀⠀⠀⠀⠀⠀⠀⠀⠀⠀⠀⠀⠀⠀⠀⠀**unrehearsed show**
émission jeunesse . . . . **youth broadcast**
émission-locomotive . . . . **lead-in program**
émission musicale . . . . **musical program**
émission non commanditée . . . . **sustaining program**
émission policière . . . . **mystery**
émission politique . . . . **political broadcast**
émission pour tous . . . . **family type program**
émission prioritaire . . . . **preempting program**
émission publique . . . . **audience show**
⠀⠀⠀⠀⠀⠀⠀⠀⠀⠀⠀⠀⠀⠀⠀⠀⠀⠀⠀⠀**audience program**
émission récréative . . . . **entertaining program**
émissions agricoles . . . . **farm broadcasting**
émission sans répétition . . . . **unrehearsed show**
émission scolaire . . . . **school broadcast**
émissions rurales . . . . **farm broadcasting**
enchaîné au flou . . . . **defocus transition**
enchaînement musical . . . . **music bridge**

équipement télécommandé . . . . . remote-control equipment
éraflures . . . . abrasions
E.R.F.P. . . . . low power relay transmitter
esquisse . . . . thumbnail sketch
essai de voix . . . . voice test
estompage . . . . smearing
étalement des décors . . . . in-setting
éteindre . . . . turn (to) off
étoffement . . . . padding
être en attente . . . . standby (to be on)
excédant (adj.) . . . . over
excéder . . . . overrun (to)
exécutant (sp.) . . . . musical performer
exécutant (gén.) . . . . performer
exécution . . . . performance
exercice du droit de priorité . . . . preemption
expert . . . . panelist
exploitation du réseau . . . . network operation
extérieur (n.m.) . . . . exterior
location
extérieur (en) . . . . location (on)
extrait . . . . excerpt
film clip

facilités techniques . . . . facilities
faire la fermeture . . . . sign off (to)
faire la prise de vues . . . . shoot (to)
faire les cadrages . . . . block (to)
faire l'ouverture . . . . sign on (to)
faire passer à l'antenne . . . . air (to)
faire un fondu . . . . fade (to)
faire un reportage . . . . report (to)

faire un travelling	**dolly (to)**
faire-valoir (n.m.)	**straight man**
fait divers	**spot news**
fard paupières	**eye shadow**
femme de télévision	**telecaster**
fenêtre	**keyed insertion**
fenêtre non praticable	**impractical window**
fenêtre praticable	**practical window**
fer de maintien	**brace cleat**
fermeture	**sign-off** (n.)
fermeture en fondu	**fade out**
feuille de route (R.C.)	**cue sheet**
	dope sheet
feuilleton	**serial drama**
	soap opera
figurant	**supernumerary**
	extra
figurant spécialisé	**special skill extra**
filage	**run-through** (n.)
film d'archives	**archive film**
fil de manœuvre	**draw line**
fil de masse	**ground wire**
fil de serrage	**lash**
fil de terre	**ground wire**
film annonce	**preview**
film granuleux	**grainy film**
film industriel	**industrial** (n.)
filmothèque	**microfilm library**
finaliste	**nominee**
fixe (n.m.)	**film clip**
flash (n.m.)	**flash**
flèche	**boom arm**
	tongue
flou insolite	**unwanted out of focus**

fond ....background
fond de teint compact ....pancake make-up
fond musical ....background music
                        musical background
fond neutre ....limbo
fond sonore ....background sound
fondu (n.m.) ....fade
fondu analogique ....match dissolve
fondu au blanc ....fade-in
fondu au gris ....fade grey
fondu au noir ....fade-out
fondu enchaîné ....dissolve
fondu préréglé ....preset fade
fondu soutenu ....fade-under
formule ....format
foyer ....focus
foyer d'attente ....green room
FM ....FM
fragment ....excerpt
fresnel (n.m.) ....fresnel spot
friture ....frying noise

galet ....sprocket wheel
galet presseur ....pressure roller
générale (n.f.) ....dress rehearsal
générateur de brouillard ......fog machine
générique ....credits
générique de fin ....crawl
générique de tête ....billboard
                        opening billboard
générique des rôles ....cast title
girafe (n.f.) ....giraffe boom

glissement .... **slippage**
gouachiste .... **opaquer**
gradateur .... **dimmer**
                     fader
gradateur automatique .... **autotransformer dimmer**
gradateur électronique .... **electronic tube dimmer**
grand-angulaire (n.m.) .... **wide-angle lens**
grand reportage .... **special event broadcast**
grands airs .... **highlights**
grands droits .... **grand rights**
graphisme .... **graphics**
graphismes .... **graphic material**
graphiste .... **graphic artist**
gravure universelle .... **stereo playable on mono**
gril .... **grid**
grille .... **program schedule**
                     schedule
grille-passerelle .... **walkway type grid**
gros plan .... **close-up**
gros plan de tête .... **head shot**
gros plan d'objet .... **insert**
groupe électrogène .... **generating unit**
groupiste (FR) .... **group man**
grue .... **boom dolly**
grue de caméra .... **camera crane**

habillage du décor .... **set dressing**
habilleur .... **dresser**
habitude d'écoute .... **viewing habit**
habitude de vision .... **viewing habit**
haut-parleur aigu .... **tweeter**
haut-parleur grave .... **woofer**

heures creuses .... off-peak period
heures d'antenne .... broadcasting time
                              listening period
heures d'écoute .... listening period
heures de grande écoute .... prime time
heures de pointe radio .... peak listening period
hilariomètre .... laughmeter
homme de télévision .... telecaster
homologué .... staff (adj.)
horaire .... program schedule
                              schedule
horaire libre (à) .... self-assigning
hors antenne .... further use
hors champ .... off camera
                              off mike
                              voice over
hors studios .... remote (adj.)
hôte .... emcee
                              host
hyper-fréquence .... VHF

ignifugeage .... flameproofing
illustrateur sonore (FR) .... sound effects man
illustration sonore .... background sound
image (à l') .... on camera
image (de l') .... video
image composite .... composite shot
                              multiple image
                              split screen
image fixe .... still photography
image floue .... unwanted out of focus
implantation.................. taping

implantation des décors .... **stage setting**
imprégnation magnétique ...... **print through**
improvisation .... **ab lib**
improviser .... **ad lib (to)**
incident technique .... **technical defect**
incorporé .... **built-in** (adj.)
incrustateur .... **keyer**
                        matting amplifier
incrustation .... **keyed insertion**
incrustation-couleur .... **chroma key**
indicateur de chevrotement .... **flutter meter**
indicatif .... **station identification**
indicatif commercial .... **sponsor identification**
indicatif d'appel .... **call letters**
indicatif de commandite .... **sponsor identification**
indicatif musical .... **musical theme**
indicatif-réseau .... **network identification**
indice de satisfaction .... **satisfaction rating**
informateur .... **stringer**
informatif .... **informative**
informations .... **news**
informations-circuit .... **syndicated news**
ingénieur du son (FR) .... **sound engineer**
insert (n.m.) .... **insert** (n.)
                        film clip
                        cut-in
insert publicitaire .... **cut-in** (n.)
insolite .... **unwanted**
insonorisation .... **soundproofing**
insonoriser .... **soundproof (to)**
installations .... **facilities**
instantanéité .... **immediacy**
intégré .... **built-in** (adj.)
intercalaire (n.m.) .... **gobo**

intérieur (n.m.)	interior
intérieur type	stock interior
interlude	interlude
	fill-in
interphone	intercom
interprétation	performance
interprète	performer
interpréter	perform (to)
intervalliste	in-betweener
interview	interview
interview d'analyse	in-depth interview
interview-variétés	talk-show
introduction	teaser

jeu (gén.)	quiz (sp.)
jeu d'orgue	lighting console
jeu impromptu	stunt
jeu télévisé	give-away contest
journalisme d'enquête	investigative journalism
journalisme électronique	electronic news gathering
journalisme parlé	broadcast journalism
journalisme de radiotélévision	broadcast journalism
journaliste de radiotélévision	broadcast journalist
journaliste sportif	sportscaster
journal télévisé	newscast
jumelé (n.)	simulcast (n.)

laconiste	one liner
lampe d'appoint	accent light

lampe praticable . . . . **pratical lamp**
lampe survoltée . . . . **photo flood**
lampe-top . . . . **flick light**
lecture . . . . **playback**
lecture collective . . . . **line rehearsal**
lecture de textes . . . . **script editing**
leitmotiv . . . . **theme song**
lest (gén.) . . . . **sand bag** (sp.)
levier de manœuvre . . . . **panning handle**
levier de réglage d'angle . . . . **angle adjustment handle**
liaisons . . . . **continuity**
liaison vidéo . . . . **video relay link**
libre programmation . . . . **run of schedule**
licence . . . . **license to perform**
ligne d'entrée . . . . **incoming line**
ligne de sortie . . . . **outgoing line**
livre de bord . . . . **log sheet**
locomotive . . . . **lead-in program**
loge de plateau . . . . **quick-change room**
lumière à contre-jour . . . . **edge light**
lumière artificielle . . . . **artificial light**
lumière du jour . . . . **natural light**
lumière incidente . . . . **incident light**
                                       stray light
lumière intense . . . . **high-key light**
lumière parasite . . . . **stray light**
lumière rayonnée . . . . **transmitted light**
luminance . . . . **luminance**
luminosité . . . . **luminosity**
lux . . . . **lux**

machinerie des cintres ....fly system
machiniste ....stage hand
magasin (anglicisme) ....magazine
magazine ....magazine type program
magazine féminin ....women interest program
magnétophone ....tape recorder
magnétophone à bobines ......reel-to-reel tape recorder
magnétophone à cartouche ....cartridge tape recorder
magnétophone à deux pistes ...dual track recorder
magnétophone à ....quarter-track tape recorder
  quatre pistes
magnétophone bipiste ....dual track recorder
magnétophone demi-piste ......dual track recorder
magnétophone quadripiste .....quarter-track tape recorder
magnétoscope à cassettes .....videocassette recorder
magnétoscope grand public ....video home system
magnétoscope mobile ....mobile videotape
magnétoscoper ....videotape (to)
magnétoscopie ....videotape recording
magnétothèque ....tape library
maintenance ....technical maintenance
manchette ....feature
manchettes ....headlines
mannequin ....model
manque ....under
manutention des décors ....scenery handling
maquette ....model set
maquilleur ....make-up artist
marche-arrêt ....on-off
marche arrière ....reverse motion
marionnettiste ....puppeteer
marque ....cue
marquer ....tape (to)
marquer un disque ....cue a record (to)

matériel . . . .**equipment**
matériel d'enregistrement . . . . . .**recording equipment**
matinier . . . .**morning man**
médaillon . . . .**keyed insertion**
          inset
média . . . .**medium**
médias (n.m.) . . . .**mass media**
mégatype . . . .**oversize typewriter**
mélange . . . .**mix**
mélangeur d'images . . . .**vision mixer**
meneur de jeu . . . .**quiz master**
mention au générique . . . .**credit**
mention de clôture . . . .**closing billboard**
mention du détaillant . . . .**dealer tag**
menu d'émissions . . . .**program fare**
menuisier d'atelier . . . .**shop carpenter**
menuisier de décor . . . .**scenic carpenter**
menuisier de plateau . . . .**stage carpenter**
message publicitaire . . . .**commercial**
metteur en ondes . . . .**booth producer**
metteur en scène . . . .**staging director**
mettre des repères . . . .**tape (to)**
mettre en boîte (fam.) . . . .**can (to)**
mettre en conserve . . . .**can (to)**
mettre en ondes . . . .**air (to)**
meuble à briser . . . .**breakaway furniture**
micro-boutonnière . . . .**lapel-mike**
micro-cravate . . . .**lavaliere microphone**
micro d'ordres . . . .**cue mike**
micro-onde . . . .**microwave**
micro-perche . . . .**boom microphone**
microphone à bobine mobile . . .**dynamic microphone**
          moving coil microphone (GB)
microphone à main . . . .**hand-held microphone**

microphone baladeur .... roving mike
microphone de proximité ...... close talk microphone
microphone de radio- .... broadcast microphone
television
microphone électro- .... dynamic microphone (GB)
dynamique
microphone sur pied .... standing mike
micro-plastron .... chest microphone
microprojecteur .... inky-dinky
micro sans fil .... wireless microphone
micro-sautoir .... lavaliere microphone
mire de réglage .... test pattern
mire des gris .... grey scale test card
miroir argus .... one-way vision mirror
miroir diaphane .... one-way vision mirror
miroir d'observation .... one-way vision mirror
miroir semi-transparent .... one-way vision mirror
mise à jour .... updating
mise au foyer .... focusing
mise au point .... focusing
mise au point suivie .... follow focus
mise en page .... lining-up (n.)
mise en place .... studio set-up
mise en place .... run-down (n.)
mise sur la sellette .... hot-seat interviewing
mission .... outside duty
mixage .... dubbing
mix
modulation d'amplitude .... amplitude modulation
modulation de fréquence ...... frequency modulation
moniteur .... coach
monochrome .... monochrome
monologue intérieur .... voice over
montage .... editing

montage à chaud . . . .**dry mount**
dry mounting
montage cinématographique . . .**film editing**
montage électronique . . . .**electronic montage**
montage électronique (gén.) . . .**inlay-overlay** (sp.)
montage final . . . .**final cut**
montage improvisé . . . .**winging**
monteur . . . .**editor**
monteur de film . . . .**film editor**
monture à baïonnette . . . .**bayonet mount**
moteur! . . . .**start!**
mouchoir . . . .**keystone**
mouvement de caméra . . . .**camera movement**
muet . . . .**silent**
multigenre . . . .**versatile**
murale photographique . . . .**photomural background**
musicothèque . . . .**music library**
musique à programme . . . .**incidental music**
musique d'atmosphère . . . .**background music**
mood music
musique de scène . . . .**incidental music**
musique de transition . . . .**continuity music**
musique d'évocation . . . .**mood music**
musique écrite . . . .**sheet music**
musique enregistrée . . . .**canned music** (fam.)
musique franche . . . .**stock music**
musique sérieuse . . . .**serious music**

nature (fam.) . . . .**non-professional actor**
négatif (n.m.) . . . .**master disk**
nègre (fam.) . . . .**cue card**
gobo

nit (n.m.) ....**nit**
noircir ....**blackout (to)**
noir mat ....**dead black**
non commandé ....**on spec**
nouvelle-éclair ....**flash**
nouvelles ....**news**
noyer ....**wash out (to)**
nuance ....**hue**
nuancier ....**colour chart**
numéro de variétés ....**specialty act**
numéro vedette ....**feature**
nuquière ....**neck pad**

objectif à focale variable ....**zoom lens**
objectif de reportage ....**field lens**
objectif grand-angulaire ....**wide-angle lens**
objectif ultra-grand-angulaire ...**extremely wide angle lens**
œuvre de commande ....**commissioned work**
œuvre protégée ....**copyright work**
ombre paupières ....**eye shadow**
omnibus ....**bus**
omnibus de mélange ....**mixing bus**
omnibus de préréglage ....**preset bus**
omnibus de trucages ....**effects bus**
ondes (en) ....**on air**
opéra télévisuel ....**TV opera**
opérateur ....**operator**
opérateur (cin.) ....**cameraman**
opérateur-disque ....**record operator**
opérateur-magnétique (FR) .....**tape operator**
opérateur-son ....**audio control man**

opérations hors antenne .... **further use**
ordre de fabrication .... **work order**
ordre de mission .... **outside duty**
                work order
ordre de travail .... **work order**
organisme de perception .... **performing rights society**
  des droits
orienté .... **biased**
ouverture .... **sign-on** (n.)
ouverture en fondu .... **fade-in**

paille (magnétique) .... **drop-out** (n.)
panneau mobile .... **wild wall**
pano (fam.).................... **pan**
pano droite .... **pan right**
pano gauche .... **pan left**
panoramique .... **pan**
panoramique (vertical) .... **pan-up**
  ascendant
panoramique (vertical) .... **pan down**
  descendant
panoramique droite .... **pan right**
panoramique filé .... **swish pan**
panoramique gauche .... **pan left**
panoramiquer .... **pan (to)**
panoramiquer verticalement ....**tilt (to)**
panoramique vertical ....**tilt**
pantalon .... **backing**
papillotement .... **flicker**
parasite (adj.) .... **unwanted**
parasites .... **interference**

parasites atmosphériques ......radiated interference
parasites industriels ....man made interference
paravent ....folding screen
two fold
parc des cars ....mobile unit fleet
pare-lumière ....gobo
pare-lumière ....teaser
view-finder hood
parenthèse ....cutaway
pare-son ....gobo
paroles ....lyrics
parolier ....lyricist
participation ....contribution
participation du public ....audience participation
partition ....sheet music
passer ....carry (to)
passer à l'antenne ....on air (to be)
passer bien ....come across well (to)
passerelle ....catwalk
passerelle d'éclairage ....lighting catwalk
passez! ....flip!
patience ....track
pause-indicatif ....station break
peintre-décorateur ....scenic artist
peintre de décors ....painter
peinture de décors ....scenery painting
perche......................boom microphone
perche-micro ....mike boom
perchiste ....boom man (fam.)
boom operator
perforation d'entraînement ..... sprocket hole
période de priorité réseau ......network option time
période-réseau ....network time
permanencier de nuit ....night duty officer

perruquier (sp.) .... **hairdresser** (gén.)
personnel de plateau .... **floor crew**
perspective sonore .... **sound perspective**
petit foyer .... **green room**
petit rôle .... **bit**
                               bit part
petits droits .... **small rights**
phare hertzien .... **microwave tower**
phonothécaire .... **sound librarian**
phonothèque .... **sound library**
photographie .... **still photography**
photomurale .... **photomural background**
photothèque .... **still library**
pige (à la) .... **free-lance** (adj.)
pigiste .... **free-lance** (n.)
pilonnage publicitaire .... **saturation spot campaign**
pilotage de chariot .... **dolly pushing**
pilote .... **dollyman**
pilote d'émission .... **anchor man**
piloter .... **steer (to)**
piquer sur .... **zero in (to)**
piste magnétique .... **sound on film**
  intégrée (sp.)
piste optique .... **optical sound track**
piste optique intégrée (sp.) .... **sound on film**
piste sonore autonome .... **wild sound**
plage .... **record band**
plan .... **shot**
plan à deux personnages ...... **two-shot**
plan américain .... **close medium shot**
                               thigh shot
plan-buste .... **bust shot**
                               medium close-up
plan-ceinture .... **waist shot**

plan-cuisses	**thigh shot**
plan d'archives	**stock shot**
plan de détail	**insert**
plan de deux	**two-shot**
plan de foule	**crowd shot**
plan d'ensemble	**establishing shot**
plan de marque (CAN)	**pack shot**
plan demi-ensemble	**medium long shot**
	full shot
plan de réaction	**reaction shot**
plan de rechange	**cover shot**
plan détouré	**matte shot**
plan de trois personnages	**three shot**
plan duo	**two-shot**
plan en pied	**full shot**
plan-épaules	**shoulder shot**
plan étudié	**beauty shot**
plan figé	**frozen frame**
plan général	**establishing shot**
	master shot
plan-genoux	**close-medium shot**
	knee shot
plan incrusté	**matte shot**
plan italien	**close medium shot**
plan mi-cuisse (sp.)	**slose medium shot**
plan miroir	**mirror shot**
plan mixte	**composite shot**
plan moyen	**medium shot**
plan-paquet (FR)	**pack shot**
plan-produit	**beauty shot**
plan prolongé	**continuous shot**
plan psychologique	**reaction shot**
plan rapproché	**medium close-up**
	waist shot

plan sur fond neutre	**limbo shot**
plan-taille	**waist shot**
plantation du décor	**scenery setting**
planter le décor	**erect (to) the set**
planter le décor	**set (to) the scenery**
plan-tête	**close-up**
	head shot
plan très serré (fam.)	**big close-up**
plan truqué	**effect shot**
plateau	**set**
plate-forme de caméra	**camera platform**
platine	**turn-table**
plongée	**high angle shot**
pleurage	**wow**
point de prise	**pick-up point**
point de source	**origination**
pointer	**cue (to)**
policier (n.m.)	**detective story**
polycopie magnétique	**dubbing**
polyptique (n.m.)	**composite shot**
	split screen
ponctuation	**transitional effects**
portant	**strip light**
portée	**reach** (n.)
poste de commande	**control point**
poste de télévision	**television receiver**
po/s	**i.p.s.**
postsynchronisation	**dubbing**
	post-synchronization
pouces par seconde	**i.p.s.**
poussière	**dirt**
praticable (n.m.)	**practicable** (n.)
	riser
pré-annonce	**cow-catcher**

précontrôle . . . . previewing
précontrôler . . . . preview (to)
premier montage . . . . rough cut
premier plan . . . . medium close-up
                                bust shot
premier rôle . . . . principal performer
preneur de son . . . . audio operator
prenez! . . . . take!
préposé aux lavabos . . . . washroom attendant
préréglage . . . . presetting
présence . . . . showmanship
présentateur . . . . host
présentateur . . . . announcer
présentation . . . . billboard
                                format
présentation . . . . opening billboard
    commerciale   opening signature
préspectacle . . . . warm-up (n.)
prestation . . . . performance
principaux extraits . . . . highlights
prise de son-télévision . . . . television sound pick-up
prise de vues . . . . field of view shooting
prise de vues . . . . stop motion
    image par image   time lapse
prise-micro . . . . microphone outlet
privé . . . . private
prix . . . . award
producteur . . . . producer
producteur (FR) . . . . producer-director
producteur délégué . . . . executive producer
production . . . . production
produire . . . . produce (to)
produire (se) . . . . perform (to)
profondeur de champ . . . . depth of field

profondeur de foyer .... depth of focus
programmateur............... programmer
programmation............... program fare
                    programming
programmation à .... fixed time programming
   créneaux fixes   strip programming
programmation élitique .... high brow programming
programmation en direct .... live programming
programmation intellectuelle ... high brow programming
programmation télévisuelle ..... television programming
programme .... program
                    service
projecteur.................... spotlight
projecteur à échelon .... fresnel spot
projecteur à faisceaux .... beam projector
   parallèles
projecteur à faisceaux .... focusing scoop
   variables
projecteur à lentille .... fresnel spot
   de Fresnel
projecteur au sol .... floor light
projecteur d'ambiance .... flood
projecteur d'appoint .... fill light
projecteur de décollement ..... kicker light
projecteur de fond .... background light
projecteur de Fresnel .... fresnel spot
projecteur de poursuite .... follow spot
projecteur d'horizon .... background light
projecteur par transparence .... rear screen projector
                    process projector
projecteur pour les yeux .... eye light
projecteur principal .... projection spot
projection de face .... front projection
projectionniste .... projectionist

projection par transparence .... **back screen projection**
projection subliminale .... **subliminal projection**
projeté par transparence .... **rear-projected**
prospecteur .... **scout**
protagoniste .... **principal performer**
provenir .... **originate (to)**
public .... **audience**
public cible .... **target audience**
publicité compensée .... **contra-account advertising**
publicité de créneau .... **slot advertising**
publicité de prestige .... **institutional advertising**
publicité gratuite .... **plug**
publicité larvée .... **plug**
publicité mystère .... **teaser advertising**
publicité non autorisée .... **plug**
publicité subliminale .... **subliminal advertising**
public participant .... **participating audience**
public témoin .... **control group**
puissance d'un émetteur .... **transmitter power**
pupitre .... **hod**
console
pupitre d'aiguillage .... **switching system**
video switching panel
pupitre d'éclairage .... **lighting console**
pupitre de commutation .... **switching system**
video switching panel
pupitre de la régie centrale ..... **master control panel**
pupitre de la régie finale .... **master control panel**
pupitre de lecture .... **script rack**
pupitre de mélange .... **mixing panel**
pupitre de mixage .... **mixing panel**
pupitre de régie .... **production desk**
pupitre de trucage .... **special effects generator**

pupitre-son . . . . **audio console**
audio control console

rabais de fréquence . . . . **frequency discount**
rabais pour libre . . . . **run of schedule**
   programmation **discount**
rabatteur (CAN) . . . . **finder**
raccord arbitraire . . . . **jump cut**
raccorder . . . . **patch (to)**
raccord sonore défectueux . . . . . **blooping notch**
raccord syncopé . . . . **jump cut**
radiodiffuseur . . . . **broadcaster**
radiojournaliste . . . . **broadcast journalist**
radiotéléjournalisme . . . . **broadcast journalism**
radiotéléviser . . . . **simulcast (to)**
radiotélévision . . . . **broadcasting**
broadcasting corporation
broadcasting system
broadcaster
radiotélévision . . . . **community broadcasting**
   communautaire
ralenti (n.m.) . . . . **slow motion**
rappel . . . . **thrown-in** (n.)
rayonnement d'une station . . . . . **station coverage**
rayonnement d'un réseau . . . . . . **network coverage**
réalisateur . . . . **director** (US)
producer (CAN)
réalisateur-producteur . . . . **director-producer**
réaliser . . . . **produce (to)**
rebobineuse . . . . **rewinder**
récepteur de contrôle final . . . . . **master monitor**
récepteur de contrôle . . . . **monitor**

récepteurs en service .... **sets-in-use**
réception collective .... **group listening**
réception directe .... **off air pick-up**
recherchiste .... **program organizer**
                            researcher
réclame-annexe .... **hooker**
reconstitution .... **mock-up**
recruteur .... **scout**
rédacteur .... **editor**
rédacteur d'enchaînements .... **continuity writer**
rédacteur de nouvelles .... **news editor**
rédacteur publicitaire .... **advertising copywriter**
redevance .... **license fee**
réduire .... **dim (to)**
réel (n.m.) .... **live action**
réembobineuse .... **rewinder**
réémetteur .... **rebroadcasting station**
réémettre .... **rebroadcast (to)**
réémission .... **rebroadcast**
réenregistrement .... **re-recording**
reflet .... **glare**
regarder .... **watch (to)**
régie .... **control point**
régie centrale (CAN) .... **master control**
régie de l'image .... **vision control room**
régie de studio .... **control room**
régie du son .... **audio control room**
régie finale (FR) .... **master control**
régie mobile .... **mobile control unit**
régisseur .... **floor manager**
régisseur d'extérieur (FR) ..... **finder**
registre des émissions .... **program log**
                            log sheet
réglage .... **adjustment**

réglage du zoum	zoom lining-up
régler	adjust (to)
réinjection	feed-back
relais	feed
	relay
	relay station
relais hertzien	microwave link
	microwave relay
relais international	clean feed
relais mobile	portable relay
relais-réseau	network feed
relations avec les artistes	artist relations
relations avec les collaborateurs artistiques	artist relations
relayer	relay (to)
relève (de)	standby (adj.)
relevé quotidien	daily fault report
remodelage	revamping
remodeler	revamp (to)
remorque	hitch-hike
renforcement de puissance	power increase
renversement de l'image	image inversion
répartition	run-down (n.)
répartition des rôles	casting
repère	cue dot
répétition	rehearsal
répétition avec technique	camera rehearsal
répétition sans technique	dry rehearsal
	walk through
répétition technique	camera rehearsal
repiquage	dubbing
répondant	respondent
reportage	remote (n.)
reportage électronique	electronic news gathering

reportage hors série .... special event broadcast
reportage parlé .... voice report
reporter-caméraman .... field cameraman
reporter local .... stringer
représentation .... performance
réseau .... network
réseau d'ordres (FR) .... intercom
réserve .... stock shot library
responsable .... budget unit head
   gestionnaire (FR)
retirer une émission .... cancel (to) a program
retour .... return float
retour en arrière .... flash-back
retournement de l'image ...... image inversion
retrait .... pull-off
retransmission .... pick-up (n.)
   live pick-up
   remote
retransmission sportive .... sports remote
rétroaction .... feed-back
rétroprojecteur .... overhead projector
réunion de programmation ..... program meeting
revue .... revue
rideau .... curtain
   horizontal wipe
rideau à la grecque .... traveler curtain
rideau à la polichinelle .... roll drop
risque d'exécution .... risk performance
ritournelle publicitaire .... jingle
robot .... cartridge
rôle accessoire .... bit
   bit part
rôle secondaire .... bit
   bit part

rôle-titre . . . . **title role**
ronflement . . . . **hum**
roulette . . . . **caster wheel**
ruban . . . . **tape**
ruban à épisser . . . . **splicing tape**
                      video splicing tape
ruban-cache . . . . **masking tape**
ruban magnétique . . . . **magnetic tape**
ruban vierge . . . . **raw tape**
rythme . . . . **pacing**

sac à neige . . . . **snow bag**
saison . . . . **season**
salle de lecture . . . . **videotape room**
    magnétoscopique
salle de maquillage . . . . **make-up room**
salle de projection . . . . **projection room**
salle de rédaction . . . . **newsroom**
salle de repos . . . . **lounge**
salle des nouvelles . . . . **newsroom**
salle d'essayage . . . . **fitting room**
salle d'habillage . . . . **dressing room**
sans surveillance . . . . **unattended**
sas (n.m.) . . . . **sound lock**
satellite . . . . **satellite**
satellite artificiel . . . . **satellite**
satellite de télé- . . . . **communication satellite**
    communications
saturation . . . . **chroma**
sautillement . . . . **jitter**
sauterelle . . . . **lash cleat**
scénario . . . . **continuity**

scénario-maquette .... story board
scénariste .... continuity writer
                          script writer
scénariste-conseil .... story consultant
scénographes .... scenery personnel
scénographie .... design department
                          staging
scénothèque .... design library
schéma de roulement .... rotation pattern
scintillement .... flicker
scripte (m. ou f.) .... script assistant
scripteur .... script writer
séance de mixage .... dubbing session
sec (n.) (FR) .... cut
second rôle .... supporting part
secours (de) .... standby (adj.)
sélection de textes .... script editing
sélectionner .... nominate (to)
sens du spectacle .... showmanship
séquence .... sequence
séquence-annonce .... preview
série .... series
serrage par fil .... rope lashing
service (en) .... operation (in)
service des costumes .... wardrobe
service scénographique .... design department
sifflement .... hiss
signal .... feed
                          signal
signal audio .... audio signal
signal d'entrée .... incoming feed
signal d'essai .... test signal
signaler .... cue (to)
signal international .... clean feed

signalisation .... cueing
signal «prêt» .... ready cue
signal-réseau .... network feed
signal-son .... audio signal
signature .... closing billboard
                              signature
signes de ponctuation .... transitional effects
silhouette .... special business extra
sillon fermé .... stopping groove
sillon terminal .... innermost recording groove
société de perception .... performing rights
   des droits   society
socle .... camera mount
socle-trépied .... tripod
sommaire .... outline
son .... audio
son associé .... married sound
sondage d'opinion .... opinion survey
sondeur (FR) .... audio operator
son dissocié .... unmarried sound
son étouffé .... muffled sound
son international .... clear sound
sono .... public address system
sonorisation .... public address system
sonothèque .... sound effects library
son seul .... wild sound
son synchrone .... sync sound
sortie .... exit
souffler .... prompt (to)
source .... program origination
source principale d'éclairage ... key light
speaker (FR) .... announcer
spectacle de variétés .... variety show
spectacle-solo .... one man show

spot . . . . baby spotlight
baby spot
spotlight
spot à réflecteur . . . . ellipsoidal projection
ellipsoïde   spot
station affiliée . . . . affiliate
affiliated station
station allophone . . . . ethnic station
station commerciale . . . . commercial station
station de base (R.C.) . . . . master station
owned and operated station
station de relais . . . . relay station
station indépendante . . . . independent station
station maîtresse . . . . master station
station-relais . . . . relay station
studio . . . . studio
studio-causerie . . . . talk studio
studio de bruitage . . . . sound effects room
studio de télévision . . . . television studio
studio public . . . . audience studio
studio reverbérant . . . . live studio
studio sourd . . . . dead studio
style subjectif . . . . subjective camera technique
superproduction . . . . spectacular (n.)
superviser . . . . supervise (to)
superviseur de la production . . . supervising producer
superviseur d'émission (CAN) . . . program supervisor
surimpression . . . . superimposure
surimpression sonore . . . . sound on sound recording
surimpression parasite . . . . unwanted super
sur place (loc. subst.) . . . . pick-up (n.)
sur-utilisé (adj.) . . . . overexposed (adj.)
synchro . . . . lip sync
synchronisation gestuelle . . . . . . playback

synchronisation instable .... **sync variation**
synchronisation labiale .... **lip sync**
synopsis (n.m.) .... **outline**
    synopsis

tableau d'affichage .... **notice board**
tableau de raccordement ...... **patch board**
table de défilement .... **tape deck**
table de lecture .... **turn-table**
tacticien .... **media director**
talent .... **talent**
talk-show .... **talk show**
tambour .... **sprocket wheel**
tambour à titres .... **title drum**
tambour-générique .... **title drum**
tampon .... **feature**
tantième .... **royalty**
    step-up fee
tarif .... **rate card**
taxe .... **license fee**
technicien de l'image .... **video engineer**
technicien du son .... **audio control man**
    sound engineer
télé .... **TV**
téléactualités .... **telenews**
téléaste .... **telecaster**
télécaméra .... **television camera**
télécaméraman .... **television cameraman**
télécinéma .... **film chain**
    telecine
télédébat .... **television forum**
télédiffusion .... **TV broadcasting**

télédistribution .... cable broadcasting
téléfilm .... television film
téléinsert .... TV clip
téléjournal (CAN) .... newscast
                   telenews
téléjournaliste .... broadcast journalist
téléopéra .... TV opera
téléphile .... television fan
téléroman (CAN) .... serial drama
                   soap opera
téléspectateur assidu .... heavy viewer
téléspectateur occasionnel ..... light viewer
téléthéâtre .... TV drama
                   serious TV drama
télévision de service public ..... public service television
télévision d'essai .... experimental television
téléimprimeur .... teleprinter
téléobjectif .... telephoto lens
télésouffleur .... teleprompter
téléviser .... telecast (to)
télévision éducative .... educational television
télévision en noir et blanc ...... black and white television
télévision par abonnement ..... subscription television
télévision par câble .... cable television
télévision payante .... pay television
                   subscription television
télévision préenregistrée .... recorded live television
témoin .... monitor
témoin-commentateur .... jeep monitor
témoin d'antenne .... line monitor
témoin de plateau .... floor monitor
témoin lumineux .... tally light
temps d'antenne .... listening period
                   air time

temps d'antenne gratuit ....free time period
temps d'antenne-station ....station time
temps de lecture ....needle time
temps-studio ....studio time
teneur canadienne ....Canadian content
terrain ....ground row
tête ....rail
tête basculante ....panning head
tête d'affiche ....feature player
tête d'effacement ....erase head
tête d'effacement général ......full-tape erase head
tête panoramique ....panning head
texte d'enchaînement ....continuity
tirette ....draw line
tireuse optique ....optical printer
t/min ........................R.P.M.
toile de fond ....background drop
                              backdrop
tonalité ....key
top ....cue
top-lumière ....light cue
top non verbal (gén.) ....non-verbal cue
topo ....feature
topo oral ....voice report
top sonore (sp.) ....non-verbal cue
top visuel (sp.) ....non-verbal cue
toucher ....reach (to)
tourelle ....lens turret
tournage improvisé ....off-the-cuff shooting
tourner ....shoot (to)
tournez! ....change!
                              flip!
tourniquet ....clock wipe
                              flipper

tours-minute .... R.P.M.
tous droits réservés .... copyright
trafic-émission .... traffic
traînée .... floor light
                       strip light
trajectoire .... tonguing
transcription .... transcription
transformation rapide .... quick scene changing
  des décors
transition musicale .... music bridge
transitions .... continuity
transmettre .... feed (to)
transmission différée .... delayed broadcast
transparence .... process shot
transparent .... acetate
transparent superposable ..... transparent overlay
travelling .... dolly shot
travelling arrière .... dolly out
travelling avant .... dolly in
travelling latéral .... trucking
travelling parallèle .... follow shot
travelling vertical .... vertical camera movement
traverse .... toggle
trépied .... tripod
très gros plan .... big close-up
très haute fréquence .... VHF
tribune .... forum
                       panel show
tribune téléphonique .... phone-in program
trucage fantaisiste .... fantasy superimposure
trucages .... special effects
trucman..................... special effects operator
truqueur .... switching equipment
                       special effects operator

truqueur électronique .... **matting amplifier**
truquiste .... **special effects operator**

unité .... **part**
                            unit
universel .... **versatile**
utilisation hors antenne .... **post-broadcast use**
utilité .... **bit player**
ultra-haute fréquence .... **UHF**

valeur .... **value**
varia .... **feature**
variétés .... **variety**
vedettariat .... **star system**
vedette .... **feature player**
                            star
véhicule de sonorisation .... **sound vehicle**
vente sélective .... **selective sale**
verre à briser .... **breakaway glass**
verrouiller .... **lock (to)**
vertical bas .... **pan-down**
vertical haut .... **pan-up**
vidéo .... **video**
vidéodisque .... **videodisk**
viseur .... **view finder**
viseur électronique .... **electronic view finder**
viseur général .... **exterior view finder**
vision .... **viewing**
visionnage (FR) .... **screening**

visionnement (CAN) .... monitoring
screening
visionner .... monitor (to)
screen (to)
visionneuse .... viewer
vitesse de défilement .... tape speed
voie de commutation .... bus
voie (de commutation) .... cut bus
principale
voie de mélange .... mixing bus
voie de montage .... cutting bus
voie de préréglage .... preset bus
voie de trucages .... effects bus
voix hors-champ .... voice over
volet .... shutter
wipe
volet électronique .... electronic wipe
volet en iris .... iris wipe
volet horizontal .... horizontal wipe
volet optique .... optical wipe
volet ouvrant .... barn-door wipe
volet quadrangulaire .... wipe (expanding square)
volets .... barn doors
volet tamponneur .... slide-through
volet tourniquet .... clock wipe
voyant .... pilot light
readout
voyant de la caméra .... red light
voyant de prise .... camera light
voyant vert .... green light
vumètre .... VU meter

zone d'ombre .... poor reception area
zoum .... zoom lens
zoum arrière .... zoom-out
zoum avant .... zoom-in
zoumer sur .... zero in (to)

Index des mots anglais cités
hors de l'ordre alphabétique*

---

* Les termes de la 2e colonne renvoient aux rubriques alphabétiques du corps de l'ouvrage.

broad . . . . .flood
broadcaster . . . . .broadcasting corporation
bump artist . . . . .double

camera light . . . . .green light, red light
camera operator . . . . .assistant camera operator
camera stand . . . . .animation stand
cans . . . . .headphones
cassette videorecorder . . . . .videocassette recorder
CCU . . . . .camera control unit
cellomatic .back screen projector
clap . . . . .clap-sticks
clap-board .clap-sticks
clapper-board . . . . .clap-sticks
cleat . . . . .brace cleat
close shot .bust shot
crane dolly . . . . .counterweighted crane dolly
crawl . . . . .crawl-title device
creepie-peepie . . . . .wireless camera
cross-back light . . . . .floor light
cross dissolve . . . . .dissolve
cross fade .dissolve
coaching . . . . .announcer coaching
combination shot . . . . .composite shot
confusion .circle of confusion
contest . . . . .give-away contest
copywriter . . . . .advertising copywriter
cover shot . . . . .establishing shot
cue light .red light
cuing . . . . .cueing
cut . . . . .straight switching
cut-in . . . . .insert

cut-in shot . . . .**cutaway**
cutting . . . .**editing**

daylight . . . .**natural light**
dealer tag . . . .**tag**
derived rights . . . .**ancillary rights**
dimmer . . . .**autotransformer dimmer**
                                  electronic tube dimmer
discussion show . . . .**panel show**
dominance . . . .**principle of dominance**
dry run . . . .**screen test**
dutch angle . . . .**canted shot**
duty officer . . . .**night duty officer**

electronic inset . . . .**matting amplifier**
eng . . . .**electronic news gathering**
expanding square wipe . . . .**wipe**
extreme close-up . . . .**big close-up**
eye catch light . . . .**eye light**

fade to black . . . .**fade-out**
fade to white . . . .**fade-in**
fade-up . . . .**fade-in**
fast motion . . . .**quick motion**
fault report . . . .**daily fault report**
film cutter . . . .**film editor**
film cutting . . . .**film editing**

film strip .... **film clip**
first cut .... **rough cut**
fish eye lens .... **extremely wide angle lens**
flip! .... **change!**
floor director .... **floor manager**
four-track tape recorder .... **quarter-track tape recorder**
freeze frame .... **frozen frame**
full-length shot .... **full shot**
further use .... **post-broadcast use**

general extra .... **extra**
graphic design .... **graphics**
ground angle shot .... **low-angle shot**
half track tape .... **dual track recorder**
head leader .... **front leader**
horror program .... **thriller**
host .... **emcee**
hot line .... **phone-in program**

I.D. .... **station identification**
idiot card .... **cue card**
inches per second .... **i.p.s.**
incoming circuit .... **incoming line**
inlay .... **keyed insertion**
inset .... **keyed insertion**
intercut shot .... **cutaway**

joint sponsorship .... **co-sponsorship**

knee shot .... **close medium shot**

lap dissolve .... **dissolve**
light bridge .... **lighting console**
live tag .... **tag**
lock groove .... **stopping groove**

master monitor .... **line monitor**
master of ceremonies .... **emcee**
matting .... **electronic matting**
microphone boom operator ....**boom man**
microwave antenna .... **microwave tower**
mixer .... **fader, mixing panel**
mobile fleet .... **mobile unit fleet**
montage amplifier .... **matting amplifier**
moving coil microphone .... **dynamic microphone**
moviola .... **viewer**
music clearance .... **music rights**

neck cord assembly .... **lanyard attachment**
neck mike .... **lavaliere microphone**
news conference .... **press conference**
news film .... **newsreel**

non-broadcast use ....**post-broadcast use**
non-network station ....**independent station**

0 and 0 station ....**owned and operated station**
off camera voice ....**voice over**
off screen ....**off camera**
one woman show ....**one man show**
opening billboard ....**billboard**
open line ....**phone-in program**
order wire system ....**intercom**
original broadcasting point .....**origination**
outside broadcast ....**remote**
overrun ....**run-over**

pancake turner ....**record operator**
pan-down ....**tilt**
pan-up ....**tilt**
P.A. system ....**public address system**
pay-as-you-go TV ....**pay television**
peak viewing period ....**prime time**
pedestal ....**camera mount**
pipe grid ....**grid**
post dubbing ....**post-synchronization**
pot ....**fader**
preview light ....**green light**
process projection ....**back screen projection**
producer (CAN) ....**director** (US)
production assistant ....**floor manager**
                            script assistant

program research assistant .... **program organizer**
promotion trailer .... **trailer**
public service program .... **public interest program**
pusher .... **dolly man**
PVP .... **portable video package**

read through .... **line rehearsal**
rear screen projection .... **back screen projection**
recording groove .... **innermost recording groove**
remote .... **location (on)**
re-recording session .... **dubbing session**
reverse angle shot .... **reverse shot**
revolutions per minute .... **R.P.M.**
roll drum .... **drum**
rolling titles .... **crawl title device**

satellite station .... **rebroadcasting station**
saturation .... **chroma**
scene designer .... **set designer**
scenic designer .... **set designer**
scenic painter .... **painter**
scenic painting .... **scenery painting**
schedule .... **program schedule**
scoop .... **flood**
screen (to) .... **monitor (to)**
screening .... **monitoring**
service mike .... **cue mike**
set design .... **scenery design**
set-up .... **studio set-up**

shared sponsorship . . . . **co-sponsorship**
sig . . . . **signature**
signature . . . . **closing billboard**
sitcom . . . . **situation comedy**
slide projector . . . . **transparent slide projector**
S.O.F. . . . . **sound on film**
S.O.S. recording . . . . **sound on sound recording**
sound-proof blimp . . . . **blimp**
split sponsorship . . . . **co-sponsorship**
spot saturation campaign . . . . . . **saturation spot campaign**
SS . . . . **stock shot**
standing set . . . . **permanent set**
start leader . . . . **head leader**
stock music . . . . **canned music**
story editing . . . . **script editing**
story treatment . . . . **synopsis**
studio carpenter . . . . **stage carpenter**
studio control room . . . . **control room**
studio floor . . . . **stage**
stunt man . . . . **double**
subordination . . . . **principle of subordination**
subsidiary hookup . . . . **hookup**
sunlight . . . . **natural light**
super . . . . **spectacular**
                                superimposure
supply reel . . . . **feed reel**

tail leader . . . . **end leader**
talent director . . . . **casting director**
talk-back system . . . . **intercom**
telecine . . . . **film chain**
teletranscript . . . . **oversize typewriter**

television cameraman	**cameraman**
television drama	**drama**
television film chain	**film chain**
television man	**telecaster**
television news	**telenews**
television test	**screen test**
television writer	**writer**
test	**audition**
tight close-up	**big close-up**
tilt head	**panning head**
time	**air time**
time lapse photography	**stop motion**
top shot	**high angle shot**
toll TV	**pay television**
traffic clearance	**program clearance**
trailer	**hitch-hike**
transverse camera move	**trucking shot**
travel shot	**follow shot**
treatment	**synopsis**
trouble	**technical defect**
turntable operator	**record operator**
TV broadcaster	**telecaster**
TV color chart	**color chart**
TV newscast	**telenews**
TV theater	**serious TV drama**

ultra high frequency	**UHF**
ultra wide angle lens	**extremely wide angle lens**
union residuals	**step-up fee**
varifocal lens	**zoom lens**
very high frequency	**VHF**
VHS	**video home system**

video patch board .... video switching panel
video recording .... electronic video recording
video switcher .... switcher
view finder .... exterior view finder
vista shot .... establishing shot
V.O. .... voice over
volume unit meter .... VU meter

walkie-lookie .... wireless camera
walk-on .... extra
worm's eye view .... low angle shot

zip pan .... swish pan

BIBLIOGRAPHIE

MᴄMᴀʜᴀɴ, H.W., *Television Production,* New York, Hastings House Publishers, 1957, 231 p.

Bʀᴇᴛᴢ, Rudy, *Techniques of Television Production,* New York, McGraw-Hill Book Company, 2nd ed., 1962, 517 p.

Bᴀᴄʜʏ, Françoise, *Terminologie de la télévision,* thèse, Louvain (Belgique), Université catholique, département de Communication sociale, 1971, (ronéotypé).

Comité de linguistique, Fiches et bulletin *C'est-à-dire,* Montréal, Société Radio-Canada, 1960 +, (sans périodicité fixe).

Vᴇʀᴘʀᴀᴇᴛ, Georges, *La Télévision et ses métiers,* Paris, Bordas, coll. «Bordas-Connaissances», 1972, 280 p.

Service éditions-publications de l'ORTF, *ORTF 73,* Paris, Presses de la cité, 1973, 701 p.

Dᴜʙᴜᴄ, Robert, *Vocabulaire bilingue du théâtre,* Montréal, Leméac et Radio-Canada, 1979, 174 p.

Dᴇʙʙᴀsᴄʜ, Charles, *Traité du Droit de la radiodiffusion (radio et télévision),* Paris, Librairie générale de droit et de jurisprudence, 1967, 608 p.

Conseil international de la langue française, *Vocabulaire de la radiodiffusion,* Paris, Hachette-CILF, 1972, 100 p.

Conseil international de la langue française, *Enregistrement restitution des images et des sons,* Paris, CILF, 1972, non paginé.

BESSY, Maurice, Jean-Louis Chardans, *Dictionnaire du cinéma et de la télévision,* Paris, Jean-Jacques Pauvert Éditeur, 1965, 4 vol., pagination discontinue.

GIRAUD, Jean, *Le lexique français du cinéma des origines à 1930,* Paris, Centre national de la recherche scientifique, 1958, 263 p.

ACHEVÉ D'IMPRIMER SUR
LES PRESSES DES ATELIERS
MARQUIS DE MONTMAGNY
LE 2 DÉCEMBRE 1982 POUR
LES ÉDITIONS LEMÉAC INC.